QUESTIONS D'UN PAÏEN À UN CHRÉTIEN

SOURCES CHRÉTIENNES

N° 401

QUESTIONS D'UN PAÏEN À UN CHRÉTIEN

(Consultationes Zacchei christiani et Apollonii philosophi)

TOME I
(LIVRE I)

INTRODUCTION, TEXTE CRITIQUE, TRADUCTION, ET NOTES

par

Jean Louis FEIERTAG
Assistant à l'Université de Fribourg

en collaboration avec **Werner STEINMANN**,
chargé de cours à l'Université de Fribourg

Ouvrage publié avec le concours du Centre National de la Recherche Scientifique

LES ÉDITIONS DU CERF, 29, Bd de Latour-Maubourg, PARIS 7e
1994

*La publication de cet ouvrage a été préparée avec le concours de l'Institut des « Sources Chrétiennes »
(U.R.A. 993 du Centre National de la Recherche Scientifique)*

ISBN : 2-204-05125-X
ISSN : 0750-1978

INTRODUCTION

L'AUTEUR ET SON MILIEU

Qu'il nous soit permis, au début de cette introduction, de signaler au lecteur notre travail déjà consacré au milieu historique et intellectuel, ainsi qu'aux motivations de l'auteur anonyme des *Consultationes*[1]. Nous en reprenons ici l'essentiel en abrégé, en précisant certains points.

1. Petite histoire de la recherche

Deux tentatives d'identification de l'auteur ont marqué la recherche. Tout d'abord celle de dom É. Martène[2]. Il trouve dans un manuscrit de l'abbaye de la Trinité de

1. J.L. FEIERTAG, *Les Consultationes Zacchaei et Apollonii* (*Paradosis* 30), Fribourg 1990. On y trouvera un aperçu sur l'histoire de la recherche (p. 1-13), et l'élaboration d'un cadre chronologique à partir de différents indices (p. 38-125). Pour les titres d'ouvrages cités en abrégé dans les notes de cette Introduction, le lecteur est prié de se reporter à la Bibliographie, sous le nom des différents auteurs (*CZA*=*Consultationes*).

2. É. MARTÈNE – U. DURAND, *Thesaurus Novus Anecdotorum*, t. 5, Paris 1717, p. 3, dont l'hypothèse semble avoir été partagée par Le Nain de Tillemont (*qui olim mecum coniecerat*, dit Martène) sans qu'on puisse en trouver trace dans ses *Mémoires*.

Vendôme, aujourd'hui disparu, le texte des *CZA* qui précède immédiatement l'*Altercatio legis inter Simonem Iudaeum et Theophilum christianum*[1]. Dans ce témoin, les deux œuvres étaient présentées l'une à la suite de l'autre comme des livres d'*altercationes*. Ne connaissant pas d'autre manuscrit de l'apologie anti-juive, Martène les attribue toutes les deux, sur ce seul témoignage, au même auteur. Or l'*Altercatio legis* se présente comme le compte-rendu d'un débat entre un juif, Simon, et un chrétien, Théophile, rapporté par un certain Évagre. Ce dernier devient donc aussi l'auteur présumé des *CZA*. Dom Rémi Ceillier, qui suivra cette hypothèse[2], identifie cet Évagre, sur la base de la seule homonymie, avec le moine-prêtre Évagre dont il est question dans le dialogue III, 1, 3[3] de Sulpice Sévère. Martène et Ceillier pouvaient encore se réclamer des témoignages antiques de GENNADE (*De viris*, 51) et MARCELLINUS COMES (*Chronique ad annum 423*), pour faire d'Évagre l'auteur de l'*Altercatio*. Pourtant, une attribution sur la seule base de l'homonymie est insuffisante. Tout comme les noms de Simon et Théophile, celui d'Évagre pourrait bien n'être rien d'autre qu'une fiction. Par ailleurs, le manuscrit 247 de la Bibliothèque du Mont-Cassin, qui contient l'*Altercatio* anti-juive, présente lui aussi un regroupement d'*Altercationes :* celle de Jérôme contre les Lucifériens et l'*Altercatio* pseudo-augustinienne entre l'Église et la Synagogue. C'était là un procédé médiéval consistant à réunir des œuvres de même genre littéraire. L'éventualité d'un lien très ancien dans la

1. *CPL* 482. Nouvelle édition : *CCSL* 64, p. 235-302.

2. Dans son *Histoire Générale des Auteurs sacrés et ecclésiastiques*, t. 13, Paris 1747, p. 507-508 ; 2e éd., t. 8, Paris 1858, p. 424 s.

3. *CSEL* 1, p. 198. Nous verrons, dans la suite de cette Introduction, comment il est possible de réactiver, par un tout autre chemin, l'hypothèse d'un rattachement des *CZA* au milieu de Sulpice Sévère.

tradition manuscrite entre notre texte et l'*Altercatio* dite d'Évagre doit donc également être éliminée.

Dom Morin, dernier éditeur du texte, voulut reconnaître en son auteur l'apologète latin Firmicus Maternus. En 1916[1], il dévoilait pour la première fois son argumentation. Cette dernière reposait sur une importante série de petits parallèles textuels avec l'œuvre de Firmicus. Elle sera encore complétée dans son édition des *Consultationes* en 1935, dans laquelle on trouve en appendice une liste de *locutiones firmicianae in libris consultationum*[2]. C'est en fonction de cette conviction que Morin interprète certains passages du texte qui présentent des allusions historiques. C'est ainsi qu'il voit en *CZA* I, 21, 13-15 – où il est question de la présence actuelle des linceuls qui enveloppèrent Jésus au tombeau, des empreintes de ses pas encore présentes sur le sol, du lieu de son ascension, des miracles accomplis devant les tombeaux des apôtres – des allusions à l'époque des constructions sur les lieux saints, sous Constantin, vers 326-335. De même, quand le chrétien Zachée dit que les temps actuels sont marqués par la mise en fuite des empereurs chassés par des inconnus (*CZA* III, 8, 8-9), cela renverrait, selon lui, aux usurpations de Magnence, Vétranion et Népotien dans les années 350-353[3].

Ces positions furent rapidement réfutées par B. Axelson[4]. Ce dernier dénonce l'insuffisance des parallèles textuels invoqués quand il s'agit de prouver l'identité

1. MORIN, Ein zweites...

2. I. FIRMICI MATERNI, *Consultationes Zacchaei et Apollonii* (éd. G. Morin, *Florilegium Patristicum* 39, Bonn 1935, p. 128-134).

3. MORIN, Ein zweites, p. 249-250.

4. *Ein drittes Werk des Firmicus Maternus*, Thèse, Lund 1937, réimpr. dans *Bulletin de la Société Royale des Lettres de Lund*, 4 (1936-1937), p. 107-132.

des auteurs. Il met aussi en évidence les particularités du vocabulaire des *CZA* qui divergent de Firmicus, et s'arrête particulièrement aux clausules rythmiques utilisées dans les deux cas pour en montrer la différence. Celles-ci trahissent en tout cas une formation de rhéteur chez l'auteur de notre texte. Les positions de Morin furent abandonnées après les années 1950[1], et on voit mal aujourd'hui ce qui pourrait un jour rendre possible une sûre identification de l'anonyme.

Les efforts déployés dans les trente dernières années restèrent limités à des aspects particuliers, mais firent pourtant progresser la chronologie. P. Courcelle mettait les *CZA* en rapport avec une tradition historiographique relatant des cas de cannibalisme à Rome et en Espagne dans les années 408-410[2]. G.M. Colombas[3] plaçait le monachisme décrit en *CZA* III, 3 dans les cercles ascétiques de l'entourage de Jérôme autour des années 380.

2. A qui s'adressent les *Consultationes* ?

Les Consultations ou questions débattues entre Apollonius, philosophe païen (I, praef., 3), et le chrétien Zachée, sont un dialogue fictif. Les noms des personnages y sont choisis en raison de leur valeur symbolique. Il est difficile de rattacher celui du païen à une figure précise. Qu'on envisage le dieu grec Apollon ou le philosophe et mage païen Apollonius de Tyane, ou d'autres encore, trop de personnages connus de l'Antiquité païenne portent ce nom pour qu'on puisse en identifier un avec

1. F. CAVALLERA, art. «Consultationes Zacchaei et Apollonii», *DSp* 2 (1953), col. 1641-1643 ne les propose plus qu'avec des réserves.

2. COURCELLE, *Date...*, où ce dernier tentait aussi, avec moins de succès, de prouver l'utilisation des lettres 135-138 d'Augustin.

3. COLOMBAS, *Sobre el autor...*

certitude au philosophe des *CZA*. Le nom du chrétien renvoie plus vraisemblablement au Zachée de l'évangile de Luc. En effet, en *CZA* I, 3, 4, Zachée se nomme *christianorum minimus*. On peut voir ici une allusion à la petite taille du personnage de Luc 19, 3, mais cela ne révèle rien qui concerne la situation personnelle de l'auteur du dialogue.

Chaque livre est précédé d'une Préface qui en annonce le contenu. Dans celle du livre I, l'auteur annonce qu'il entend réfuter, bien que pour certains, cela n'en vaille pas la peine, l'opposition des païens. A cette occasion, un double but sera poursuivi : exposer à tous (*omnibus intimare* : I, praef., 1) notre religion sainte et simple, et enseigner ceux qui, tout en l'ignorant, la méprisaient (I, praef., 1). Cet objectif général est celui des trois livres, et non seulement du premier. Ils sont un *corpus credulitatis*, une *res magna* (I, praef., 2), exposée par questions et réponses. Dans ce recueil de la foi, l'auteur expliquera, en les réunissant, des choses dites avant lui de manière dispersée (I, praef., 2 : *sparsim dicta in corpore credulitatis aperire*). La Préface du livre I nous laisse déjà quelques indications sur les auteurs qui ont inspiré dans ses grandes lignes l'entreprise de notre anonyme.

Dans la mise en scène de son dialogue, l'auteur fait explicitement appel à Cicéron. Dès le début (I, praef., 3) est cité un extrait du *Laelius*, concernant la manière dont les répliques des personnages seront introduites. En outre, comme chez ce dernier, la discussion a lieu en présence de quelques participants (mentionnés en I, 1, 5 ; I, 3, 2 ; I, 38, 8), mais qui, toutefois, n'interviennent pas. Le cadre est également celui d'un petit groupe, et cela rappelle les débats dans la villa d'un ami chez Cicéron, car Zachée dit avoir répondu en privé (II, 19, 8) aux demandes de son interlocuteur. Les trois livres correspondent à trois étapes du dialogue, dont la seconde est interrompue par la chute du jour[1], mais le déroulement chronologique est trop flou pour qu'on puisse préciser la durée exacte de chacune des étapes.

La visée apologétique de notre texte nous oblige évidemment à rechercher aussi des sources chrétiennes. L'adaptation par H. Chirat de la *Patrologie* de B. Altaner[2] compare les *CZA* aux *Institutions divines* de Lactance. Ce rapprochement se justifie au premier livre. D'emblée, plusieurs thèmes lactanciens apparaissent dans la Préface au livre I. D'abord la vraie sagesse dont le paganisme est dépourvu (I, praef., 1), thème du livre IV des *Institutions :* toutefois, cette problématique n'est pas suffisamment caractéristique pour qu'on puisse y voir plus qu'un lieu commun. Ensuite, il y a le *corpus credulitatis* voulu par l'auteur, qui fait certes écho aux manuels de sciences de l'Antiquité païenne (*corpus iuris, architecturae*), mais dont au moins l'idée pourrait être reprise du chrétien Lactance, puisque ce dernier annonce son intention de faire des *Institutions,* c'est-à-dire de présenter la substance de toute la doctrine[3]. Ce projet n'entend pourtant pas tout développer en détail, ce qui ne serait pas possible, mais présenter une synthèse abrégée de cette totalité du savoir chrétien. C'est ainsi qu'un nombre limité de points à traiter est choisi parmi une très abondante matière[4]. On n'oubliera donc pas, dans une telle situation, qu'une interrogation du texte qui irait au-delà de ce qu'il dit explicitement est délicate. En outre, une série de rapprochements indiqués en note dans cette édition (I, 8, 4; I, 19, 4; I, 20, 3; I, 27, 13; I, 37, 5-6)

1. Cf. Cic., *Nat. Deor.,* III, 40, 94.
2. *Précis de Patrologie,* Mulhouse 1961, p. 513.
3. Cf. *Inst.*, V, 4, 3 (*SC* 204, p. 148); cf. *CZA* I, praef., 2.
4. Cf. Lact., *Inst.,* I, 1, 20-21 (*SC* 326, p. 38-40), surtout I, 1, 21 : *breuiter omnia colligere,* «rassembler tout en un bref résumé» et *CZA* I, praef., 5; II, praef., 3.

soulignent d'autres idées lactanciennes dans les *CZA*. Ils ne suffisent sans doute pas à prouver une lecture directe de Lactance, mais celle-ci demeure vraisemblable. Pourtant, l'œuvre anonyme a en commun avec celle de l'apologète africain la volonté d'exposer une totalité abrégée de la doctrine chrétienne. Cela est rare dans la littérature latine des quatre premiers siècles, et peut porter à croire que notre auteur s'est inspiré des *Institutions*, au moins dans l'intention de son œuvre.

En considérant à la fois l'avertissement donné dans la Préface du livre I, et le contenu des trois livres, on peut donc bien faire des païens les premiers destinataires de l'ouvrage. Quelques indices supplémentaires le confirment. Il y a d'abord le fait que l'auteur renonce volontairement à utiliser la terminologie chrétienne bien établie d'*episcopus, presbyter, diaconus* pour désigner les ministres de l'Église. Il préfère les désigner par le terme païen *sacerdotes* (I, 28, 8; II, 18, 11.21). Ensuite, on notera le vocabulaire des mystères qui évoque la discipline de l'arcane par rapport au symbole de la foi et à l'Eucharistie, qu'il n'est pas permis à Apollonius de connaître tout de suite (I, 38, 7; II, 1, 1-3). Mais les païens ne sont sans doute pas les seuls auxquels il s'adresse. En précisant qu'il veut inculquer à *tous* notre religion, il montre qu'il veut s'adresser aussi à certains chrétiens, qu'ils soient encore imprégnés de convictions païennes, ou, tout simplement, ennemis des moines (III, 3, 1).

Les *CZA* furent-elles rédigées à la demande d'un adversaire bien précis? Il ne semble pas, d'après ce que nous venons de voir. Pourtant, *CZA* I, 1, 1 et II, 19, 8 font problème. Dans le premier de ces deux passages, il est question d'une discussion qui a eu lieu autrefois entre les deux personnages, et qui est présentement reprise dans des circonstances plus favorables. En II, 19, 8, Zachée nous révèle qu'il a répondu plutôt en privé aux volontés du païen qu'à une déclaration publique[1]. La précision apportée ici est vraisemblablement un élément fictif. Pourtant, elle ne recouvre pas forcément *que* de la fiction. En effet, il est vrai que les Dialogues de Cicéron, qui lui ont servi de modèle, ont souvent comme cadre un petit cercle d'amis[2]. Mais le recours à la fiction littéraire n'implique pas qu'il n'y ait pas eu réellement une certaine forme de rencontre pagano-chrétienne dans un cadre intime. En mettant en scène le seul Zachée, l'auteur a peut-être aussi voulu faire savoir qu'il a répondu confidentiellement à la demande d'un interlocuteur, représenté par Apollonius, et désireux de voir justifier une foi chrétienne à tendance monastique. Pourtant, si on suivait une telle hypothèse, on pourrait s'attendre ici ou là, de la part du païen, du moins au livre I, à des objections liées à des événements ou à des faits d'actualité, et qui dévoileraient plus précisément la personnalité de l'interlocuteur païen. Or ce n'est pas le cas, et le premier livre en reste à un débat théologique sur de vieilles questions qui opposaient depuis des siècles païens et chrétiens. Cette partie polémique des *CZA* revêt de ce fait un caractère quelque peu livresque. Cela ne signifie pas, évidemment, une mauvaise connaissance, chez l'auteur, de ses contemporains païens – car ces questions pouvaient fort bien être toujours discutées entre païens et chrétiens – mais semble trahir soit l'absence d'un adversaire précis auquel répondre, soit, s'il y a réellement eu un débat, une mise en forme littéraire de ce dernier lui donnant des proportions et un déroulement qu'il n'avait pas à l'origine, et rendant impossible qu'on reconnaisse la figure de l'adversaire.

1. «... en considérant que nous avons répondu plutôt en privé à ta volonté qu'à une déclaration (*editioni*) publique.»

2. Cf. *Lae.*, I, 2; *Nat. Deor.*, I, 6, 15.

3. Quel type de paganisme représente Apollonius ?

Les thèses païennes défendues par Apollonius reflètent une pensée éclectique où la cohérence n'est pas toujours de rigueur. Au vu du milieu historique de l'auteur des *CZA*, tel que nous le présenterons dans la suite de cette introduction, le lecteur ne devra pas en être surpris. Voici les cas les plus frappants. Le païen accepte un *deus auctor animae* (I, 22, 1) duquel l'âme est sortie et auquel elle va retourner après avoir été purifiée des souillures qu'elle a contractées (I, 22, 1-2). Ce dernier coexiste avec des puissances subalternes, qui donnent des réponses lorsqu'on les interroge (*numina... in templis,* I, 27, 1). Mais cet auteur de l'âme humaine rappelle davantage le dieu des chrétiens que la divinité des platoniciens. En effet, Zachée réfute cette théorie de la purification en disant que ce qui a besoin d'être purifié ne peut pas être de la même nature que Dieu, car celui-ci n'a pas besoin de purification. Cette discussion suppose implicitement chez le païen la notion chrétienne d'un Dieu unique et impassible. On notera encore, chez Apollonius, le refus de l'Incarnation (I, 9) et par conséquent de la résurrection des corps (I, 24). Ceci nous oriente vers une pensée plus ou moins platonisante, mais pas authentiquement platonicienne. Par ailleurs, le problème du destin et de l'astrologie (I, 29-30), conciliable avec une certaine liberté individuelle (I, 29, 2; I, 30, 2), la conception de la loi naturelle (I, 20, 1-2), rappellent des discussions stoïciennes dans les œuvres de Cicéron. Dans ces conditions, on peut difficilement attribuer à ce païen une philosophie d'école, au sens strict, car on chercherait vainement chez Apollonius une argumentation philosophique complète au moyen d'un vocabulaire spécialisé, ou de citations de philosophes grecs. Ce flou relatif trahit plutôt, chez notre auteur, l'utilisation de notions philosophiques vulgarisées. Mais cela pouvait tout autant être le cas du côté du paganisme latin contemporain, et on se gardera de prétendre que le dialogue est artificiel, comme si l'anonyme avait imaginé une figure facile à réfuter.

4. Datation

Les différents indices relatifs à l'époque de rédaction peuvent être présentés de la manière suivante :

1) Deux points de repère permettent d'établir un cadre général. D'une part, en *CZA* II, 14, Zachée veut prouver la divinité de l'Esprit en utilisant une argumentation mise en jeu dans le débat anti-pneumatomaque des années 375-380[1]. De fait, la préoccupation d'une telle hérésie ne pénètre pas dans le monde latin avant la décennie 370-380. D'autre part, des extraits des *CZA* sont rapportés dans la profession de foi des évêques catholiques présentée aux Vandales ariens en 484 en Afrique du Nord. Ils figurent dans l'*Histoire de la persécution vandale* de Victor de Vita[2]. Ces deux dates deviennent des dates-limites en-deçà et au-delà desquelles on ne peut plus placer les *CZA*.

2) La critique portée par Zachée en *CZA* I, 28 contre les chrétiens qui adorent les images des empereurs, même si ceux-ci sont des souverains chrétiens, appartient à une série de réactions hostiles à la pratique courante de cette adoration, et qu'on peut trouver vers la fin du IVe s. et dans les premières décennies du Ve. Jean Chrysostome, dans ses *Homélies sur les statues*[3], prononcées alors qu'en

1. Traités sur l'Esprit d'Ambroise, Basile, Didyme traduit par Jérôme.
2. II, 75-80 (*CSEL* 7, 1881, p. 56-59).
3. *Stat.*, 21,3 (*PG* 49, col. 216).

387 la population d'Antioche avait renversé les images impériales et se voyait menacée de châtiments, met sur les lèvres de l'évêque Flavien un discours adressé à l'empereur, où il est promis à ce dernier qu'en cas de pardon, non seulement les statues abîmées seront réparées, mais que le souverain recevra une statue intérieure dans l'esprit de ses sujets. Sulpice Sévère[1], Jérôme[2], mais aussi l'historien arien Philostorge[3], se montrent plus ou moins critiques par rapport à ce culte. La législation impériale elle-même marque une évolution. Alors qu'en 386, Théodose Ier octroie un droit d'asile à celui qui se réfugie auprès des statues impériales[4], Théodose II, en 425, supprime, en des circonstances précises, l'adoration de ces statues, en prônant lui aussi une intériorisation de la religion impériale[5]. C'est dans ce contexte général qu'il faut placer les *CZA*. Elles trahissent la vaste réaction qui, sur une longue période, a pu susciter l'évolution impériale. Il est même permis de se demander, d'après les propos de Zachée en I, 28, quelle est la position de l'auteur par rapport à la cour de l'empereur. En effet, le chrétien dit que les souverains, si on les consulte, refusent l'adoration de leurs images. Il ne peut pas s'agir d'une invention pure et

1. *Chron.*, II, 7, 1 (*CSEL* 1, p. 62) : «...cette sottise qui est celle de tous les rois s'appropriant des honneurs divins», et *Vita Martini,* 24, 4, où le diable apparaît à Martin en portant la pourpre impériale et demande l'adoration; cf. E.C. Babut, «L'adoration des empereurs et les origines de la persécution de Dioclétien», *Revue historique,* 123 (1916), p. 228.

2. *Dan.*, III, 18, vers 407 (*CCSL* 75A, p. 801-802).

3. *H.e.*, II, 17, peu après 425, (*GCS* 51, p. 28) à propos de ceux qui adorèrent l'image de Constantin par des sacrifices.

4. *Cod. Theod.*, IX, 44, 1.

5. *Cod. Theod.*, XV, 4, 1. Cette loi de 425, adressée au Préfet du Prétoire pour l'Orient, n'était en principe applicable que dans la partie orientale de l'Empire. Pourtant, l'évolution qui l'a amenée semble avoir été générale.

simple, car alors, il aurait été trop facile à des adversaires mieux informés que lui de nier cela, ou de consulter effectivement le souverain pour le savoir, comme Zachée invite à le faire. La possibilité d'un lien particulier entre l'anonyme et le milieu impérial doit donc être prise en compte : il aurait pu, par exemple, avoir été fonctionnaire durant une partie de sa vie.

3) En *CZA* I, 21, 13-15, Zachée veut convaincre son partenaire de la divinité et de l'humanité du Christ, par des exemples récents et visibles. Il y a les linceuls mortuaires de son sépulcre[1] qui contiennent encore les indices de sa mort. Une multitude est présente au lieu de son ascension, et les traces de ses pas sont presque encore imprimées dans le sol. Les miracles accomplis jadis par les apôtres se reproduisent devant leurs tombeaux. Mais, malgré cela, beaucoup ne croient pas à sa divinité et à son humanité. Le terme *adhuc*, répété, marque la présence actuelle de tout cela[2]. En parlant de l'empreinte des pieds du Christ, il fait écho à une information que l'on trouve chez Paulin de Nole[3], Sulpice Sévère[4] qui en a reçu la communication de Paulin, et, un peu plus tard, chez Augustin[5]. On ne peut pas la trouver avant ces

1. *Exuuiae felicis sepulcri* : cette expression ne peut désigner que les linceuls mortuaires, cf. *TLL*, t. V, col. 2132.

2. I, 21, 13-14 : « Voici que les vêtements de son bienheureux sépulcre contiennent encore les indices de la croix et de la mort du Seigneur (...) Les traces de ses pas demeurent presque encore imprimées dans le sol. » L'argumentation de Zachée exige que toutes les phrases de ce passage soient au présent simple, et non historique.

3. *Ep.* 31, 4 en 403 (*CSEL* 29, p. 271-72).

4. *Chron.*, II, 33, 4 vers 404 (*CSEL* 1, p. 87); cf. R. DESJARDINS, « Les vestiges du Seigneur au Mont des Oliviers. Un courant mystique et iconographique », *BLE* 73 (1972), p. 51-72.

5. *Tract. in Ioh.*, 47, 4 (*CCSL* 36, p. 406) : « C'est là que le Seigneur a résidé, là qu'il a choisi sa mère, là qu'il a voulu être conçu, naître, répandre son sang, c'est là que sont les traces de ses pas (*uestigia*

témoignages du début du ve s. Paulin précise que les empreintes sont à l'intérieur de l'église de la Sainte-Ascension[1]. Les *CZA* mentionnent les *uestigia pedum* immédiatement après le *locus ascensionis* où une grande multitude est présente, si bien que les empreintes doivent vraisemblablement être rattachées aussi à l'endroit d'où il s'éleva dans le ciel.

4) Le texte de *CZA* III, 8, 8-9 est sans doute le passage-clé pour la chronologie. A travers Zachée, l'auteur s'avoue bouleversé par les événements de son temps : guerres entre nations, mise en fuite des empereurs par des gens inattendus, tremblements de terre et signes célestes, enfin manducation de chair humaine entre membres d'une même famille. Cette situation exige une fin imminente du monde et annonce le retour du prophète Élie, suivi de la venue de l'antéchrist (III, 8, 12-13). Ce dernier ranimera les persécutions anti-chrétiennes en attirant dans son camp juifs, hérétiques et païens (III, 7, 3.6-8; III, 9, 15-16). La description donnée ici doit être située sur l'arrière-plan d'une triple tradition littéraire.

Tout d'abord une tradition biblique. Il s'agit de *Deut.* 28, 57 où figure, parmi les menaces adressées au peuple d'Israël en cas de transgression, la scène de la mère man-

eius), qu'elles sont présentement adorées à l'endroit où il s'est tenu en dernier lieu, d'où il est monté au ciel.» La note de l'édition des mauristes pour ce traité d'Augustin, repoduite dans *PL* 35, 1735 (n. 1) et indiquant l'existence d'un parallèle à cette information dans la version latine d'Eusèbe de Césarée, *Onomasticon* par Jérôme ne se laisse pas vérifier. Par contre, on retrouve dans Bède le Vénérable, *De locis sanctis,* VI, 1 (*CCSL* 175, p. 263) une information semblable à celle de Paulin et Sulpice. Voir aussi les *Nomina regionum atque locorum de actibus apostolorum,* éd. M.L.W. Laistner, Cambride, Mass., 1939, en appendice à son éd. de Bède, *Expositio actuum apostolorum,* p. 154. Texte également dans *PL* 23, 1301C-1302A.

1. Sur la construction de cet édifice à la fin du ive s., voir P. Maraval, *Pèlerinages et lieux saints,* Paris 1985, p. 266.

geant celui qui est sorti de ses entrailles. Ensuite, un passage de *IV Rois* 6, 26-29 (cf. *Bar.* 2, 2-3), où, dans le cadre de la prise de Samarie, une mère tue son enfant et le fait cuire. Dans le prolongement de cette tradition, Flavius Josèphe[1] parle d'une mère, Marie, fille d'Éléazar, qui mangea son enfant après l'avoir fait cuire, dans le cadre du siège de Jérusalem par Titus. Cet épisode est cité dans une homélie de Basile[2] et par Jean Chrysostome[3].

La littérature païenne consacre aussi quelques textes au thème de l'anthropophagie. Dans une des *Declamationes Maiores* du Pseudo-Quintilien[4] et dans le *Satiricon* de Pétrone[5], on trouve des broderies sur le thème du cannibalisme.

Mais les témoignages de la tradition historiographique sont plus importants pour la chronologie. Ils concernent tout d'abord des famines liées aux sièges de Rome par le chef goth Alaric en 408-410. Les parallèles rassemblés par Courcelle[6] citent Jérôme[7], un extrait de la *Chronique* d'Olympiodore rapportée par fragments dans Photius[8], ainsi que l'historien Zosime[9]. D'autres textes sur l'anthropophagie à Rome se retrouvent dans Philostorge[10],

1. *Bellum Judaicum,* VI, 201-213 (éd. O. Michel-O. Bauernfeind, *Flavius Josephus,* Munich 1969, p. 168-169).
2. *Hom. dicta in tempore famis et siccitatis* (*PG* 31, 322D-324A).
3. *Oppugn.*, I, 5 (*PG* 47, 326).
4. *Decl.*, XII, 47 : *Cadaueribus pasti,* éd. L. Hakanson, *Declamationes XIX Quintiliano falso adscriptae,* Stuttgart 1982, p. 262.
5. Chap. 141 (éd. Ernout-Meillet, *CUF,* 9e tirage rev. et corr., Paris 1982, p. 177).
6. Date..., p. 264.
7. *Ep.* 127, 12 (datée de 413, éd. J. Labourt, t. 7, *CUF,* Paris 1961, p. 146).
8. *Bibliothèque* (éd. R. Henry, *CUF,* t. 1, Paris 1959, p. 168).
9. *Hist.*, VI, 11 (éd. F. Paschoud, *CUF,* Paris 1989, p. 13-14).
10. *H.e.*, XII, 3 (éd. Bidez-Winkelmann, *GCS* 21, Berlin 1981, p. 142).

Sozomène[1] et Procope de Césarée[2]. Ces témoignages ne permettent pourtant pas de dater avec une grande précision les scènes de cannibalisme. Sozomène et Zosime précisent certes que la situation alimentaire de Rome avait empiré au printemps 410 du fait que le comte Héraclien, ennemi des Goths, tenait bloqués les ports d'Afrique et empêchait le blé, l'huile et les autres aliments de base d'entrer dans le port de Rome, ce qui aggrava une famine déjà existante du fait des sièges précédents. Zosime rapporte qu'on aurait alors crié aux jeux du cirque : *Pretium inpone carni humanae*[3]. Mais les notices d'Olympiodore et de Philostorge ne peuvent pas être rapportées avec certitude à un siège précis. Jérôme et Procope pourraient vraisemblablement faire allusion à de la manducation de chair humaine au cours même du troisième siège qui précéda la prise de la ville en août 410.

Un récit analogue, mais consacré aux conséquences de la pénétration des Vandales en Espagne à l'automne de l'année 409[4] se trouve dans la chronique d'Hydace, ainsi que chez Olympiodore[5]. Ces témoignages reprennent parfois la tradition biblique quand ils précisent qu'il s'agit d'une mère cannibale. Jérôme et Olympiodore parlent d'une mère, Hydace des mères, Zosime et l'auteur des *CZA* n'en parlent pas. Malgré cela, on ne peut pas nier que notre anonyme dépend bel et bien du même courant littéraire. Par ailleurs, malgré les indications des sources qui viennent d'être mentionnées, on n'oubliera pas que Zosime déclare, à propos du premier siège de Rome en 408, que les habitants en vinrent presque à s'entre-

1. *H.e.*, IX, 8, 8.
2. *Bella*, III, 2, 27.
3. *Hist.*, VI, 11 (éd. F. Paschoud, *CUF*, Paris 1989, p. 14).
4. *SC* 218, p. 116-117.
5. Dans Photius, *op. cit.* à la n. 8, p. 178-179.

dévorer[1]. Et des troupes barbares se trouvaient en Espagne au moins depuis cette année-là[2]. Il semble donc plus prudent de considérer les trois années 408-410 comme le point de départ des traditions sur le cannibalisme, plutôt que d'en restreindre l'origine historique aux seules années 409-410. Et comme les témoignages les plus nombreux concernent l'anthropophagie à Rome, on pourra admettre que les faits rapportés en *CZA* III, 8, 9 sont plus vraisemblablement en dépendance de la tradition mieux attestée concernant cette ville plutôt que l'Espagne. Les années 408-410 deviennent donc le point de repère le plus précis pour placer la rédaction de notre texte, qui est probablement apparu à cette époque ou peu après.

5. Milieu de l'auteur

Dans tout ce qui va suivre, il convient de rappeler que la prudence est de règle quand il s'agit de déterminer quel est l'environnement d'un auteur anonyme. Notre démarche propose une combinaison de différents indices qui aboutissent à des vraisemblances, non à des certitudes.

L'anonyme est bouleversé au dernier degré par les événements politiques et militaires qu'il est en train de vivre. Comment comprendrait-on cela s'il les avait toujours vécus de loin? Cela conduit à penser qu'il eut, au moins pendant un certain temps, un lien avec l'Europe, dont l'Italie, la Gaule puis l'Espagne sont spécialement touchées au début

1. *Hist.* V, 40, 1 (éd. F. Paschoud, *CUF*, Paris 1986, p. 271).

2. Voir E. Demougeot, *De l'unité à la division de l'Empire Romain. 395-410,* Paris 1951, p. 393-395.

du ve siècle[1]. Peut-on aller plus loin? La description et la défense des moines en *CZA* III, 3 seraient incompréhensibles s'il n'avait pas lui-même une certaine expérience de la vie ascétique dans une période où celle-ci était en butte à de vives attaques. On ne peut pas préciser quelle forme cette expérience a pu prendre : ascétisme individuel, ou peut-être vie communautaire. Or, à partir des années 380 et dans les premières décennies du ve siècle, on constate une réaction anti-monastique à travers plusieurs témoignages provenant de milieux très différents[2]. Elle culmine dans une loi impériale de 390[3], demandant aux moines de s'éloigner des cités, mais qui est toutefois révoquée deux ans plus tard[4]. Il est plus difficile d'en suivre la trace à partir du deuxième quart du ve siècle. On connaît le monachisme et l'ascétisme latins des années 380-420, où se manifeste cette hostilité, à travers quelques grandes figures : Martin de Tours, Sulpice Sévère, Priscillien, Jérôme, Augustin, Ambroise, Cassien, mais on est loin de tout savoir sur l'existence, la répartition géographique, l'histoire et la nature exacte de l'ensemble des communautés alors répandues en Europe. Il en résulte une considérable difficulté quand il s'agit de situer l'auteur avec certitude dans un milieu monastique précis. D'emblée, on doit renoncer à faire de l'anonyme un homme lié à l'Afrique du Nord. En effet, les novatiens sont longuement réfutés en *CZA* II, 17-18, mais l'auteur semble faire preuve, à travers Zachée, d'une certaine com-

1. Exposé d'ensemble de ces invasions des années 406-411 dans E. Demougeot, *La formation de l'Europe et les invasions barbares*, t. 2 : *De l'avènement de Dioclétien au début du vi^e^ s.*, Paris 1979, p. 422-446.

2. Pour l'Occident, voir notamment J. Fontaine, « L'aristocratie occidentale devant le monachisme », *Rivista di Storia e Letteratura religiosa*, 15 (1979), p. 28-54 ; cf. J.L. Feiertag, *Consultationes..*, p. 107-110.

3. *Cod. Theod.*, XVI, 3, 1.

4. *Cod. Theod.*, XVI, 3, 2.

préhension à leur égard (II, 17, 4). Or ils n'avaient guère d'importance dans une Afrique du Nord alors préoccupée par le schisme donatiste. Toutefois, *CZA* I, 21, 13-14 oriente à nouveau les recherches vers une piste un peu plus précise. L'information sur les empreintes des pas du Christ se retrouve, comme on l'a vu plus haut, chez Sulpice Sévère, Paulin de Nole et Augustin. On ne peut pas la trouver chez Jérôme. Ce dernier pouvait toutefois en avoir connaissance. En effet, ce récit est très vraisemblablement parti des fondations monastiques de Mélanie l'Ancienne et Rufin sur le Mont des Oliviers, d'où il a été transmis à Paulin, puis à Sulpice[1]. Or Jérôme, lui-même alors en Palestine, était en mauvais termes avec Rufin et l'évêque Jean de Jérusalem[2].

Par ailleurs, il est tout à fait remarquable que les *CZA* énumèrent presque dans une même phrase l'information concernant les vestiges du Seigneur et ce qui a trait aux linceuls mortuaires du Sépulcre, qui contiennent encore les indices de la mort et de la croix du Christ. L'opinion selon laquelle les vêtements mortuaires (*exuuiae*) de ce dernier seraient conservés n'a, à notre connaissance[3], pas

1. Voir les bons arguments de R. DESJARDINS, «Les vestiges du Seigneur au Mont des Oliviers», *BLE* 73 (1972), p. 57.

2. Cf. P. NAUTIN, «L'excommunication de Saint Jérôme», *Annuaire de l'École Pratique des Hautes Études,* 80-81, fasc. 2 (1972/73-1973/74), p. 7-37. La sentence de Jean le frappa entre 394 et 397.

3. Voir les mentions des linceuls ou du suaire rassemblées par P. SAVIO, «Ricerche sopra la santa sindone», *Salesianum,* 16 (1954-4), p. 622-627; 17 (1955-2), p. 319-330; P. CAZZOLA, «Itinerari della S. Sindone nell'oriente cristiano», *Studi e ricerche sull'Oriente cristiano,* 6 (1983), p. 19-38, ainsi que A.M. DUBARLE, *Histoire ancienne du linceul de Turin jusqu'au XIII*e *s.,* Paris 1986. Ces travaux ne disent rien des *CZA*. On notera également qu'il faut distinguer, dans les témoignages anciens, les mentions des linceuls mortuaires de celles des images du Christ. Ces dernières, qui ont été l'objet de la volumineuse étude de E. VON DOBSCHUETZ, *Christusbilder* (*TU* 18), Leipzig 1899, n'intéressent pas le cas de notre texte.

de parallèle dans la littérature gréco-latine des cinq premiers siècles. Seuls certains écrits apocryphes[1] parlent du passage des linceuls du Seigneur à quelqu'un d'autre, sans toutefois aller jusqu'à affirmer catégoriquement qu'ils seraient conservés dans un endroit précis, bien qu'il paraisse vraisemblable que cette conviction ait existé avant l'époque de notre anonyme. Dans ces conditions, comment ne pas être tenté de rattacher les deux informations à la même source, à savoir les monastères de Mélanie et de Rufin au Mont des Oliviers, où l'on pratique une hospitalité généreuse à l'égard des pèlerins[2]. On admettra volontiers que l'anonyme lui-même ou ses informateurs auraient pendant un certain temps fréquenté ce milieu. En effet, il semble probable qu'il ait pu recevoir de la même tradition orale[3] et la conviction d'une existence contemporaine des linceuls mortuaires de Jésus, et celle de la réalité des traces laissées par le Seigneur, laquelle avait été fixée par écrit. En outre, la possibilité que la tradition sur les linceuls ait accompagné la diffusion des écrits de Paulin et Sulpice sans être elle-même conservée par écrit doit être envisagée.

D'autres indices permettent de progresser davantage. C'est l'attente imminente de l'antéchrist en *CZA* III, 8, 12-13 qui se rapproche davantage de Sulpice que de Jérôme. Dans le *Dialogue* II, 14, 4 de Sulpice[4] est présenté un enseignement apocalyptique qui remonterait à saint Martin de Tours, selon lequel l'antéchrist est déjà né et prendra le pouvoir lorsqu'il aura atteint l'âge légitime. Une croyance semblable se retrouve dans sa *Vita Martini,* 24, 3 et dans sa *Chronique,* II, 33, 3. Sans doute peut-on

1. Sur les témoignages anciens, voir J.L. FEIERTAG, *Consultationes,* p. 135-139.

2. Cf. F. THÉLAMON, art. «Rufin d'Aquilée», *DSp* 13 (1987), col. 1108.

3. Voir PAULIN, *Ep.* 31, 4 : *dicitur* (*CSEL* 29, p. 271, 23).

4. *CSEL* 1, p. 197.

remarquer que les doctrines des deux auteurs sur l'antéchrist ne se recoupent pas entièrement : alors que Sulpice parle de la venue de Néron qui précédera l'antéchrist, mais sera tué par ce dernier[1], notre anonyme n'en dit rien. Par ailleurs, en *CZA* III, 7, figurent des précisions absentes des œuvres de Sulpice. Pourtant, les mêmes anciennes traditions[2] pouvaient avoir imprégné le milieu des deux auteurs, chacun y ayant puisé à sa guise. Dans les écrits de Sulpice, cette importance attachée à l'antéchrist n'est pas liée, comme dans les *CZA*, à une angoisse devant les événements politico-militaires[3]. Mais il faut se souvenir que son œuvre conservée précède l'invasion de la Gaule en 406-407, qui eut sans doute comme conséquence de l'obliger à fuir, lui et ses amis. Il est incontestable que leur attente eschatologique ne pouvait que se renforcer dans le contexte des invasions. D'un tout autre côté, la conviction liant fin de l'Empire et fin du monde était déjà ancienne, notamment dans la tradition apologétique[4] et pouvait également affermir les tendances de notre anonyme. Contre ce rapprochement avec la sensibilité du milieu de Sulpice, on pourra objecter qu'une certaine forme d'attente eschatologique était généralisée dans de vastes cercles en Occident au début du

1. Cf. *Chron.*, II, 29, 6; *Dial.* II, 14, 1-3.

2. Le petit traité de JÉRÔME, *De antichristo in Danielem*, édité à la suite de son commentaire sur Daniel dans le *CCSL* 75A, p. 914-944, est une compilation sur l'antéchrist. Certains de ses enseignements se retrouvent en *CZA* III, 7. On comparera également aux *CZA* la version hiéronymienne du commentaire sur l'Apocalypse de Victorin de Petau.

3. Sur l'apparition de ces croyances dans le milieu de Sulpice, voir le commentaire de J. FONTAINE dans *SC* 135, p. 1021-1022 et son art. «Sulpice Sévère», *DSp* 14 (1990), col. 1306.

4. Voir notamment TERT., *Apol.*, 32, 1 (*CCSL* 1, p. 142-143 et *CUF*); *Scap.*, 2, 6 (*CCSL* 2, p. 1128); LACT., *Inst.*, VII, 15, 11 (*CSEL* 19-1, p. 632); AMBROS., *In II Thess.*, 2, 1, 2 (*CSEL* 81-3, p. 239) et O. ZWIERLEIN, Der Fall.

ve siècle[1]. Pourtant, si l'on se réfère aux attitudes d'Augustin[2], Orose[3] et Jérôme face aux événements des années 406-411, on n'y trouve pas cette assurance prophétique de l'imminence de la fin qui fait dire à notre auteur que le prophète Élie va revenir dans très peu de temps (*CZA* III, 8, 12). On y rencontre plutôt des interrogations témoignant de différents degrés d'angoisse sur la proximité des derniers temps, mais qui sont souvent résolues avec davantage de sérénité. Jérôme, commentant la prise de Rome, bien qu'ému lui aussi, n'en vient pas à une position aussi extrême[4]. Son texte le plus net sur le thème de l'antéchrist, la lettre 123, 15, vers 409, dit que ce dernier approche, mais que pourtant le Seigneur Jésus le tuera

1. Pour Priscillien, voir H. Chadwick, *Priscillian of Avila,* Oxford 1976, p. 10. Bachiarius, *Repar.*, 6 (*PL* 20, 1042A) écrit : «Voici que nous nous trouvons placés à la fin du monde» et évoque les combats tout proches à soutenir pour le nom du Christ. Pourtant, notre anonyme a une attitude trop positive vis-à-vis du mariage, dont il proclame la bonté à l'encontre de ceux qui veulent voir en lui un mal (III, 5, 14) – on pense ici au *Contre Jovinien* de Jérôme – et il serait invraisemblable qu'un priscillianiste fasse à ceux qui vivent seulement en célibataires dans le monde, et qui pratiquent sans excès de zèle le jeûne et la prière (III, 3, 13-16), l'honneur de les inclure, même en leur attribuant le dernier rang, dans la *secta monachorum*. Dans un tout autre milieu, Maxime de Turin, *Serm.* 85, 1 (*CCSL* 23, p. 348) dit lui aussi que la fin approche. Mais son attente n'est pas aussi extrême que dans les *CZA* ou chez Sulpice, et, chez lui comme chez Bachiarius, il manque le discours sur l'antéchrist et sa persécution. L'arrière-plan de ce texte de Maxime est également plus «pastoral » : il s'agit, par ce moyen, d'exhorter les fidèles à un regain de charité, quitte à renchérir sur la gravité des événements.

2. Sans doute peut-on trouver dans son *Serm.* 296, 8, vers 411, une certaine forme d'attente de la fin, qui disparaît dans sa lettre 199 en 419.

3. Cf. H.W. Goetz, *Die Geschichtstheologie des Orosius* (*Impulse der Forschung* 32), Darmstadt 1980, p. 144.

4. Pour la position de Jérôme, voir F. Paschoud, *Roma,* p. 218-220 et K. Sugano, *Das Rombild des Hieronymus* (*Europäische Hochschulschriften* 15, 25), Francfort 1983, p. 55-64.

du souffle de sa bouche. Toutefois, Jérôme affirme cela dans un passage où il exhorte une correspondante à rester dans le veuvage au milieu des malheurs du temps, qui promettent un avenir difficile aux gens mariés. Il n'y est nulle part question d'une fin imminente ou d'une nécessité de se préparer à la mort et au jugement. Un autre élément incite à ne pas faire trop vite de l'auteur un ami de Jérôme : en *CZA* III, 5, l'anonyme corrige les excès de ceux qui dénigrent le mariage : pour sa part, il en réaffirme la bonté, et surtout enseigne l'existence d'une *castitas* particulière dans le mariage[1] contrairement au *Contre Jovinien*[2]. On ajoutera enfin que le climat apocalyptique entoure, chez notre anonyme comme chez Sulpice[3], la conscience d'un monachisme qui se sent persécuté. On parvient ainsi à rapprocher l'auteur du cercle des amis et connaissances de Sulpice Sévère. Et, si l'on peut aller encore plus loin, le milieu de moines voyageurs décrits dans le *Dialogue* I de ce dernier serait particulièrement bien indiqué[4].

Il faudra bien sûr critiquer cette hypothèse. En effet, on peut aisément concevoir qu'un adventisme aussi extrême, la présence des pèlerins et de leurs récits, aient pu se trouver, en Occident, chez des moines en dehors de l'entourage de Sulpice. C'est pourtant auprès de ce dernier que, de fait, on peut encore voir converger le plus nettement, à cette époque, différents éléments carac-

1. Cf. III, 5, 7 : «...il faut qu'elle accorde, conformément à une compréhension catholique, un éloge particulier de chasteté aux époux honorables.»

2. *Jovin.*, I, 16 (*PL* 23, 235A) : «... nous aussi, nous devons (...) enseigner que la chasteté a toujours été préférée à l'œuvre du mariage.»

3. *Chron.*, II, 50, 3-4 (*CSEL* 1, p. 103) où il s'agit de ceux qui, après avoir persécuté Priscillien, s'attaquent aux adeptes de la vie ascétique ; cf. J. FONTAINE, art. «Sulpice Sévère», *DSp* 14 (1990), col. 1305-1306.

4. *CSEL* 1, p. 152 s.

téristiques : le monachisme persécuté, l'extrême attention portée à la figure de l'antéchrist dans le cadre d'une attente imminente de la fin de ce monde, et également la tradition sur les vestiges du Seigneur. Chaque indice pris séparément n'aurait qu'une moindre valeur, mais réunis les uns aux autres, ils créent une vraisemblance non négligeable. Par ailleurs, on ne peut tirer de cet enracinement vraisemblable que des conséquences très limitées sur le plan géographique. Tout d'abord, il n'est pas possible de prouver une présence de l'auteur en Gaule. Ce que nous appelons *milieu de Sulpice* ne se réduit pas qu'à certaines communautés monastiques occupant des sites déterminés de ce pays. Il faut y inclure les relations plus éloignées qui s'y rattachent, les amis des amis, les connaissances rencontrées par les moines voyageurs des *Dialogues*, les correspondants, etc. Il s'agit en somme d'une famille spirituelle assez bien déterminée, avec ses propres tensions internes, à laquelle Jérôme appartient bien sûr, mais dans laquelle on peut inclure aussi Paulin de Nole et Mélanie l'Ancienne, et qui peut être dispersée géographiquement, mais garde des liens avec les représentants des communautés monastiques de Gaule. On n'oubliera pas non plus que la vie ascétique de *Primuliacum* et des monastères de Marmoutier et Ligugé a vraisemblablement dû s'interrompre à cause de l'arrivée des barbares en 406-407, provoquant la dispersion des moines[1]. En fin de compte, notre hypothèse laissera encore, bien évidemment, à la personnalité de notre anonyme de nombreuses zones d'ombre, mais elle s'impose comme la plus vraisemblable.

C'est donc dans une atmosphère de persécution que ce dernier adresse, sans doute avec l'appui d'un entourage monastique, son *corpus credulitatis* d'abord aux premiers

1. Voir J. Fontaine dans *SC* 133, p. 52.

ennemis des adeptes de la vie ascétique : les païens, dont l'opposition au monachisme martinien est bien avérée[1]. Qu'on songe aussi aux destructions de sanctuaires païens opérées sous l'impulsion de Martin et de ses compagnons[2]. Mais l'auteur vise aussi tous ceux qui, d'une manière générale, sont hostiles à ce genre de vie, y compris les chrétiens. Dans cette entreprise, il paraît se référer davantage à des livres (I, praef., 2 : *a multis sparsim dicta... aperire*) qu'à une confrontation vivante avec le paganisme contemporain. C'est également l'impression qu'on peut avoir en parcourant les positions d'Apollonius au livre I. Pourtant, si l'anonyme donne parfois l'impression de faire de la théologie savante, cela ne veut pas dire qu'il ignore les nuances propres au paganisme du début du ve siècle, ou se désintéresse des questions d'actualité. En effet, on n'a pas le droit de prétendre que, au vu de l'ancienneté de plusieurs des questions abordées, relatives à la christologie ou à l'histoire du Salut, celles-ci n'étaient plus d'actualité dans la discussion pagano-chrétienne au début du ve siècle. Qu'on songe par exemple aux *Quaestiones* de l'Ambrosiaster sur les deux Testaments, ou à l'*Enchiridion* d'Augustin, que l'on peut considérer comme des entreprises comparables, mais portant sur de vieilles questions chrétiennes, bien qu'on n'y trouve pas cette volonté d'exposer une totalité abrégée du savoir. Ensuite, la structure littéraire des *CZA* exigeait elle-même une cohérence impitoyable dans l'édifice des questions. Elle ne pouvait être obtenue qu'en écartant les objections trop particulières sur des points d'actualité qui, pour recevoir une réponse, auraient demandé un écrit d'un autre genre. Finalement, l'arrière-plan des *CZA* révèle davantage un conflit entre deux

1. Comme le remarque J. Fontaine (*SC* 133, p. 80-81).
2. Cf. *Vita Martini,* 12-14; *Dial.*, III, 8, 4-6.

communautés : les moines et les autres, plutôt qu'une querelle interpersonnelle, qui aurait poussé l'anonyme à traiter de questions relatives à des circonstances bien particulières.

6. Le problème des sources de l'auteur

L'anonyme est à la fois soucieux de ne pas rabâcher effectivement les anciens tout en refusant de les citer nommément (II, 1, 8 : *fastidium est... refricare iam cognita... suppresso auctore*), et pourtant décidé à utiliser leurs œuvres (I, praef., 2 ; II, praef., 3 : *instructio ex multis collecta uoluminibus*). Ce refus de passer pour un plagiaire a comme conséquence que les emprunts aux auteurs antérieurs sont à tel point fondus dans son propre style qu'il n'est plus possible d'identifier avec certitude, pour un seul passage, une source utilisée. Même là où il présente, vaguement, l'origine d'une maxime ou d'une pensée empruntée (Cicéron en *CZA* I, praef., 3 et III, 1, 1 ; Platon et les *Oracles Sibyllins* en I, 4), il n'est pas possible de conclure qu'il a lu directement ces passages dans leur contexte. Il prend davantage de soin encore à dissimuler l'origine des emprunts faits aux auteurs chrétiens. Il faudra voir dans sa capacité de réaliser une telle synthèse à partir de sources multiples une originalité non négligeable de son œuvre. La méthode même de son travail nous oblige pourtant à rechercher non seulement les quelques citations et emprunts textuels, mais aussi les rapprochements doctrinaux qui se manifestent souvent par de petits parallèles. Nous indiquons donc dans les notes, et non dans un apparat des sources :

1) Les rares éléments textuels empruntés et conservés sans indication d'origine, mais dans leur teneur littérale.

2) Tous les passages dont l'auteur indique l'origine,

même de la façon la plus vague, et quelle qu'en soit l'importance littérale. Il ne s'agira que d'auteurs païens peu nombreux, intervenant dans quelques discussions des livres I et III.

3) Les rapprochements qui témoignent d'une influence de la tradition apologétique chrétienne (Tertullien, Cyprien, Lactance). Plusieurs thèmes théologiques montrent, au livre I, la présence de doctrines communément admises depuis longtemps et dont l'origine se situe chez les apologètes. Il s'agit par exemple de la défense de la véritable humanité du Christ dans son Incarnation, thème anti-gnostique présent chez Tertullien (*CZA* I, 9), de la réfutation sommaire du polythéisme (I, 27), ou encore de toute la démonologie longuement exposée (*CZA* I, 30-33). Or il était aisé de connaître les œuvres de ces auteurs africains au temps de Jérôme et d'Augustin[1]. Ce ne serait donc pas prendre beaucoup de risques que de lui attribuer une lecture directe de leurs livres. Mais, de fait, on ne peut pas la démontrer sur la base de passages précis.

4) Les rapprochements avec des auteurs chrétiens du IVe ou du Ve siècle insérés dans des contextes doctrinaux ou exégétiques semblables (commentaire d'un même passage scripturaire, discussion d'un même problème théologique ou philosophique, narration d'un même passage d'histoire biblique, etc.). Les parallèles, indiqués dans les notes de cette édition, avec le commentaire de Jérôme sur les Galates et surtout avec le *Contre Jovinien* en *CZA* III, 5, de même qu'avec un passage de la *Chronique* de Sulpice Sévère en *CZA* I, 19, 8-10, revêtent ici une importance particulière, compte tenu de ce que nous avons dit plus haut. Pourtant, on ne pourra pas prouver à partir

1. Cf. Y.M. DUVAL, «L'influence des écrivains africains du IIIe siècle sur les écrivains chrétiens de l'Italie du Nord dans la 2e moitié du IVe s.», *Antichita Altoadriatiche*, 5 (1974), p. 191-225.

d'eux la lecture vraisemblable des œuvres en question. Une multiplicité d'autres rapprochements fondés sur de petits parallèles trahissent simplement des doctrines partagées avec d'autres auteurs, et n'ont qu'une médiocre valeur quand il s'agit de discuter le problème des sources littéraires. On pourra en trouver un grand nombre dans notre ouvrage cité au début de cette introduction. Nous en retenons ici seulement quelques-uns, qui permettent une meilleure compréhension de la pensée. Pour éviter toute mésentente sur la valeur de l'ensemble de ces rapprochements, il convient donc de rappeler qu'ils servent d'abord à situer l'auteur par rapport aux doctrines qui l'ont précédé ou à celles de ses contemporains. Seuls ceux qui concernent Jérôme, Sulpice et les apologètes, permettent d'aller plus loin et nous invitent à voir en eux des sources probables, mais non certaines, tout en sachant que l'anonyme a sans doute utilisé des auteurs plus nombreux.

STRUCTURE DES *CONSULTATIONES*

Il peut être utile de proposer ici au lecteur, avec quelques commentaires, un plan d'ensemble de la série des questions destiné à mettre en évidence leur enchaînement logique.

Chaque livre est précédé d'une préface, probablement rédigée après coup, puisqu'elle contient en abrégé toute la matière du livre. Les quatorze premières questions du livre I sont consacrées au Christ. Les chapitres 1-6 concernent sa personne : sa divinité et son humanité. Le païen y invoque la raison (I, 1, 3 : *humana ratio*) et la loi de la nature (I, 2, 1), opposées au dogme christologique. C'est une manière d'évoquer le thème paulinien du Christ crucifié qui est folie pour les païens. Zachée répond qu'on peut facilement comprendre la vérité à son sujet, à condition de montrer la volonté d'un homme disposé à croire (I, 3, 3) et d'éviter les disputes philosophiques (I, 3, 5). D'ailleurs, Platon et la Sibylle parlent du Christ (I, 4), et les démons, qui sont les puissances divines des païens, attestent également sa divinité (I, 5). Les miracles anciens et actuels accomplis par lui ou en son nom la prouvent également (I, 6). Dans la section suivante (I, 7-14), les questions concernent d'abord le fait de l'Incarnation. S'il est vraiment Dieu, il a alors dû venir sur terre. Était-ce une nécessité (I, 7)? Dans quel but (I, 8)? Puis ses modalités : comment comprendre que Dieu soit né (I, 9-10), que la virginité de sa mère ait été préservée malgré sa naissance (I, 11), qu'il ait grandi (I, 12). Enfin les œuvres et la mort du Christ : ses miracles ne semblent pas l'emporter sur ceux des thaumaturges païens ou des médecins (I, 13), et comment comprendre qu'il n'ait pas voulu lui-même éviter la mort, alors que, dit-on, il se préparait à en arracher l'humanité (I, 14)? Zachée répond ici que c'est un homme qui, par sa mort, devait mettre fin au péché contracté par l'homme (I, 14, 5). Dans cette première section christologique de l'ouvrage, l'auteur défend surtout la vérité et la rationalité de l'Incarnation contre d'anciennes objections déjà réfutées par Tertullien. Nous indiquons en note les rapprochements doctrinaux.

S'ensuit une longue partie narrative (I, 15-21) où ce péché humain, aussi bien celui d'Adam que ceux de ses descendants, est exposé. Le commentaire des épisodes historiques choisis : paradis (I, 15), déluge et Tour de Babel (I, 17), Abraham et Moïse (I, 18), don de la loi au désert et veau d'or (I, 19), montre la patience de Dieu (I, 18, 1) face aux fautes humaines, laquelle s'exerce par un traitement médical de l'humanité pécheresse (I, 17, 3), où se mêlent les mesures d'incitation à la pénitence, les mises en garde par les prophètes, la menace du châtiment, enfin les châtiments eux-mêmes, mais modérés (I, 21, 9). Le principe de tout cela est que Dieu cherche toujours à conserver et restaurer sa création, et ne la supprime jamais (I, 8, 2; I, 21, 2; I, 31, 4). Or, malgré les prophètes et le don du Christ qui vinrent encore s'ajouter, les juifs se montrent intraitables (I, 20, 6-8). Mais si l'on peut admettre la nécessité du Sauveur, pourquoi est-il venu si tard (I, 21)? C'est, entre autres, parce qu'il ne fallait pas permettre, s'il était venu bien avant, que l'humanité oublie la foi et l'exemple du Christ au cours des temps, et afin que la proximité du jugement final maintienne l'homme dans la crainte (I, 21, 17).

Cette narration des chapitres 15-21 du livre I se présente comme un commentaire paraphrastique de l'Écriture, comprise au sens littéral. Cette dernière n'y est pas encore citée comme parole de Dieu. Elle est utilisée, à l'intention des païens, comme un simple récit, dont certains événements sont choisis. Il s'agit de souligner l'indulgence de Dieu. Elle est à la fois patiente face aux péchés des hommes – les fautes du peuple juif n'étant ici que le prolongement de celles d'avant le déluge – et médicale, car elle préparait l'Incarnation du Fils de Dieu. Le thème de l'Église, encore totalement absent de la discussion pagano-chrétienne au livre I, n'y intervient pas.

Après avoir traité de la personne du Fils de Dieu (I, 1-6), et examiné les raisons de sa venue : la volonté divine d'abord (I, 7-14), puis le péché humain (I, 15-21) rendant l'homme passible de la damnation, l'auteur enchaîne en I, 22-26 sur l'idée du jugement. Le païen expose ici les vieilles objections sur l'origine et le destin des âmes (I, 22), la possibilité d'une résurrection des corps (I, 23), le cas des corps dévorés (I, 24), l'éternité du monde (I, 25). Si donc ce dernier doit disparaître, c'est pour qu'un monde nouveau lui succède (I, 26), qui apparaîtra à partir de l'ancien (I, 25, 20 : *destructa in melius mutabuntur*). Cette terre nouvelle et ces cieux nouveaux qui sont le monde à venir seront incorruptibles, et sont, du moins en ce monde-ci, encore invisibles, mais il s'agit de les évaluer à partir des choses visibles (I, 26, 5 : *inuisibilia metiri ex uisibilibus*). Cette remarque suffit pour ne pas attribuer à l'auteur un millénarisme matérialiste, même s'il utilise dans ce chapitre une imagerie qui peut prêter à confusion (parfum, lumière, douceur du climat, évocation du jardin du paradis[1]). Par ailleurs, Zachée donne, en *CZA* III, 9, 11, le conseil de ne pas chercher à connaître ce qui a été préparé pour les élus. En I, 27, Apollonius reprend l'initiative en opposant à l'eschatologie chrétienne qui vient d'être présentée les prétentions du paganisme à détenir les divinités annonciatrices de l'avenir. Une nouvelle section est ainsi ouverte, qui va jusqu'à I, 33, consacrée à l'idolâtrie et à ses causes démoniaques. En I, 28, le païen retourne contre son adversaire l'accusation d'idolâtrie, car les chrétiens aussi adorent les images des souverains. Zachée déclare refuser cette pratique, qui n'est pourtant pas un culte idolâtrique. Le païen ramène le débat, en I, 29, à la connaissance de l'avenir avec le problème du destin et de l'astrologie. Après avoir développé une argumen-

1. B. DALEY, *Eschatologie in der Schrift und Patristik* (*Handbuch der Dogmengeschichte* 4, 7), Bâle 1986, p. 208 nous semble parler trop vite d'emprunt à la tradition millénariste. L'évocation du monde nouveau insiste sur son incorruptibilité (I, 26, 5). Rien ne nous permet de connaître son degré de matérialité.

tation visant surtout l'immoralité de la notion du destin qui supprime la liberté des actes humains, Zachée déclare que l'astrologie est une invention du diable (I, 29, 10). Mais alors comment ce dernier peut-il tromper l'homme en se servant de l'observation des astres (I, 30)? Et d'une manière générale, qui sont le diable et les démons (I, 31)? Comment comprendre que Dieu ait créé un être qui allait pécher, tout en sachant d'avance le mal que ce dernier ferait (I, 32)? De même, pourquoi le diable n'a-t-il pas été détruit après sa faute (I, 33)? et pourquoi la victoire sur lui a-t-elle dû être remportée par le Fils de Dieu et non par un ange (I, 34)? Les enseignements démonologiques amplement développés entre I, 29 et I, 33, en réponse à ces questions, constituent la partie du livre I la plus riche en doctrines communes héritées des apologètes. Les dernières objections sur la souffrance des justes (I, 35) et des petits enfants (I, 36) sont sans rapport avec ce qui précède. Le chapitre 37 présente alors les principaux préceptes de la *loi chrétienne*[1], dont l'objet est ainsi décrit en *CZA* I, 36, 19-20 : rejet des idoles, des nourritures qui leur sont consacrées, amour de Dieu et de l'homme, détachement des biens de ce monde. L'amour de Dieu et celui de l'homme reçoivent ici une justification rationnelle. Le premier est nécessaire, car Dieu est plus utile aux hommes que ces derniers ne le sont à eux-mêmes. Le second l'est aussi au nom de la Règle d'Or, (cf. I, 20, 4) qui commande la réciprocité de l'amour. La religion chrétienne est ainsi présentée aux païens, conformément à la tradition apologétique latine passant par Tertullien et Lactance, comme une loi ordonnant la connaissance, l'amour et la crainte de Dieu, avec les actes

1. Sur ce sens de *lex* comme synonyme de *religio*, voir *TLL*, t. VII-2, col. 1245. Il revient en I, 20, 3; II, 12, 3; II, 19, 11; III, 7, 3; III, 8, 1.

qui en découlent. Ceci n'est pas sans conséquences sur la sotériologie : l'auteur souligne l'importance de la volonté pour obéir à la loi (I, 15, 5; I, 36, 19; III, 2, 3), qui a prévu non seulement les dons divins pour réparer et sauvegarder l'humanité au cours de l'histoire, mais fait également dépendre de l'attitude humaine le salut ou le châtiment final.

Le livre I est alors conclu (I, 38) par une confession de foi du païen en forme d'abjuration de l'erreur, dont l'essentiel résume les acquis précédents.

Au terme de l'entretien correspondant au livre I, Apollonius se convertit et le débat peut se poursuivre désormais en une *lenis conlatio* (II, praef., 5). On peut apprendre qu'il a reçu le baptême (II, 1, 1 : *adoptio*), l'eucharistie (II, 1, 2 : *deum sumendo*) et un symbole de foi trinitaire (II, 1, 4 : *traditio mysterii*). Tout cela n'est présenté qu'allusivement en II, 1. Cette situation fictive permet à l'auteur d'enchaîner le livre II au premier. En effet, au cours de la transmission du symbole, Zachée a réclamé à son partenaire une confession de foi trinitaire complète, portant aussi sur l'Esprit-Saint. L'existence de ce dernier a ainsi été révélée à Apollonius, mais non encore expliquée. C'est donc sur lui que portent les questions 2 et 3 du livre II. La foi du nouveau converti étant complète, il s'agit, dans toute la suite de ce livre, de le mettre en garde contre les juifs et les hérésies, afin qu'il puisse mieux les éviter s'il les connaît mieux (II, 1, 6; II, 11, 2). Jusqu'en II, 18, Apollonius introduit simplement une nouvelle question pour chaque groupe particulier. A plusieurs reprises (II, 4-6; II, 12; II, 14; II, 16), il s'agira d'exposer méthodiquement à partir de quelles citations scripturaires les juifs ou les hérétiques argumentent (cf. *CZA* II, 5, 2) et de leur opposer l'*interpretatio catholica*. Dans cette entreprise, l'anonyme montre çà et là sa dépendance par rapport aux *Testimonia ad Quirinum* transmis sous le nom de Cyprien, si l'on en juge par l'identité, la forme et le groupement des citations avancées contre les juifs. Ce recueil célèbre avait toutefois influencé une vaste littérature[1].

Les chapitres 4 à 10 du livre II discutent et réfutent l'interprétation juive de l'Ancien Testament, mais avec brièveté et simplicité, dans le but d'instruire Apollonius, qui vient de se convertir, et non pas dans l'intention d'entamer une polémique avec les juifs eux-mêmes (II, 4, 4.16). On retiendra de ces chapitres la poursuite de l'exposé par Zachée de la thèse chrétienne, dont une partie se trouvait en I, 19, 13 et I, 20, sur les rapports entre loi mosaïque et loi évangélique. Cette position peut être ainsi formulée : les témoignages des Prophètes annoncent que la loi évangélique succédera à la loi mosaïque. Et le Seigneur lui-même, en *Matth.* 5, 17, précise qu'il ne vient pas abroger cette dernière (II, 7, 3-6). En effet, la loi ancienne comportait certes une restauration de la loi naturelle oubliée par les hommes (I, 19, 13), mais elle contenait aussi d'autres préceptes : les commandements cultuels, qui n'apportaient pas la justification, et dont le caractère provisoire est déjà annoncé, selon le chrétien, dans l'Ancien Testament, en *Éz.* 20, 25. Ceux-ci n'avaient qu'une valeur limitée dans le temps. Leur fonction était pédagogique : face à un peuple incapable de se passer des rites hérités des païens et tenté par l'idolâtrie, ils devaient l'obliger à consacrer au seul vrai Dieu ces abominables coutumes (II, 7, 9-10). Par contre, les préceptes relevant de la justice naturelle demeurent. La loi mosaïque avait aussi la fonction de

1. Cf. P. MONAT, « Étude sur le texte des citations bibliques dans les *Institutions Divines* : la place de Lactance parmi les témoins des Vieilles Latines », *REAug*, 28 (1982), p. 21-32 ; « Les *Testimonia* bibliques de Cyprien à Lactance », dans *Le monde latin antique et la Bible* (*BTT* 2), Paris 1985, p. 499-507.

contenir un peuple de rebelles par la crainte de châtiments immédiats (II, 7, 7), car les juifs n'auraient pas redouté la menace trop éloignée du jugement final. Si donc le Christ vient bel et bien mettre fin à la peine de mort infligée ici-bas aux pécheurs par la loi mosaïque en recommandant la pénitence, de même qu'aux anciennes pratiques cultuelles d'Israël, en introduisant ainsi une liberté jadis annoncée (II, 7, 18), il n'abandonne pas pour autant la menace du jugement final (II, 7, 15). C'est pourquoi, on ne saurait opposer, comme les manichéens, la loi ancienne et la loi nouvelle (II, 12, 7).

Dans la démarche de l'anonyme par rapport aux hérésies (II, 11-18), il faut bien avouer que ses connaissances manquent de précision et d'exactitude par rapport à d'autres informations hérésiologiques antiques. En *CZA* II, 14, les ennemis du Saint-Esprit sont décrits sous l'étiquette de sabelliens, et la position qui leur est prêtée n'est pas confirmée par ailleurs (voir Appendice IX). En *CZA* II, 12, Zachée prête aux manichéens une utilisation dogmatique du psautier vétéro-testamentaire à la manière des catholiques, et il leur oppose l'autorité des évangiles de l'enfance du Seigneur qui prouvent sa véritable humanité. Tout ceci indique qu'aux yeux de l'auteur, ils acceptent aussi au moins l'intégralité du Nouveau Testament des catholiques, et trahit donc, chez notre anonyme, une ignorance de la vraie nature des écritures manichéennes. Même dans le cas d'autres groupes (par ex. pour les photiniens en II, 13), les thèses hérétiques sont présentées d'une manière tellement sommaire que cela trahit l'utilisation de sources de seconde main, et qui sont de ce fait même difficiles à identifier. A la demande d'Apollonius, son partenaire lui présente, en *CZA* II, 19, 4-6, une confession de foi récapitulatrice destinée à être fréquemment répétée, (*crebra confessio*: II, 19, 2), et qui réfute les erreurs des hérétiques. Ce résumé de doctrine trinitaire, de même que celui de *CZA* II, 2, 5-7, est sans doute une élaboration personnelle de l'auteur. Il offre l'occasion de récapituler les positions formulées contre les hérétiques. Zachée y défend l'égalité du Fils et de l'Esprit par rapport au Père, au sein d'une Trinité dont la nature n'est pas saisissable dans son intégralité par l'intelligence humaine. Le livre II se termine alors par une *confessio ad deum* (*CZA* II, 20) qui rejette les positions hétérodoxes et demande le don d'accomplir la volonté divine. Dans l'ensemble de ce livre, l'Église apparaît ainsi comme la garantie de la vérité contre les erreurs des hérésies, et la détentrice du baptême, de l'eucharistie et de la pénitence. Mais il n'est jamais question de sa vie interne, ni de la hiérarchie de ses ministres.

Comme la doctrine exige une discipline, le livre III aborde la question du genre de vie correspondant à cette foi intègre, car il faut d'abord croire, puis craindre et aimer Dieu, et il en découlera un style de vie conforme à de telles convictions (III, 1, 7). Deux degrés se présentent dans la vie chrétienne : celui des gens mariés, appelés *humiliores*, et celui des moines, les *potiores* (III, praef., 1). Ces deux catégories ne sont pas coupées l'une de l'autre : il est possible de passer de la première à la seconde, mais beaucoup craignent d'entreprendre les *ardua et magna* de la vie monastique (III, 1, 17), et s'engourdissent dans les petites choses (III, 2, 1 : *torpere in exiguis*). Le chapitre 1 du livre III est consacré à la vie matrimoniale, et les chapitres 2 à 6, à la vie monastique. Apollonius s'enquiert tout d'abord de la forme de vie qui est la plus élevée, et reçoit un aperçu général fondé sur des textes scripturaires (III, 2). Zachée veut notamment montrer les capacités humaines à réaliser tout ce que le Christ lui-même a accompli dans son humanité (III, 2, 3), tout comme il défendait au livre I (I, 15, 5; I, 36, 19) la possibilité d'obéir aisément à la loi donnée par

Dieu. En *CZA* III, 3, 1, Apollonius demande davantage de précisions au sujet de la *congregatio uel secta monachorum*, détestée par certains. C'est l'occasion pour Zachée d'en préciser les différentes espèces, de distinguer ceux qui dévient de leur profession monastique des moines fidèles, et de justifier ces derniers. La description de trois catégories d'ascètes en *CZA* III, 3, 9-19 montre que c'est d'abord le comportement sexuel qui différencie le moine des autres chrétiens. En effet, Zachée considère que ceux qui vivent seulement en célibataires, sans par ailleurs pratiquer rigoureusement les autres observances monastiques, sont comme au dernier degré de la *secta monachorum* (III, 3, 10). En ce qui concerne la description des cénobites, on pourra aisément lui trouver, dans la lettre 22 de Jérôme et la *Vita Martini* de Sulpice, des parallèles littéraires. Mais il restera très difficile de déterminer si l'anonyme l'a simplement tirée de sources littéraires, ou s'il nous raconte, à travers Zachée, sa propre expérience de ce genre de vie.

Les questions se poursuivent par un examen des principales pratiques ascétiques, fondées dans l'Écriture : pauvreté (III, 4), abstinence sexuelle (III, 5), psalmodie (III, 6). En *CZA* III, 5, l'enseignement de Zachée porte sur le problème du rapport entre virginité et mariage et renvoie aux discussions autour du *Contre Jovinien* de Jérôme, et non pas à une prise de position par rapport au priscillianisme. Ceci est surtout visible dans l'interprétation, en *CZA* III, 5, 6-13, des mêmes versets scripturaires que dans le traité de Jérôme. Dans son commentaire, l'anonyme prend soin de préciser que, si la virginité est supérieure, le mariage n'est pas condamné.

Et puisque c'est dans la ferveur et la psalmodie monastiques qu'on se prépare le mieux à sa mort, aussi bien qu'à la fin de tout (III, 6, 10), Apollonius enchaîne avec les menaces qui, à ce que l'on dit (III, 7, 1 : *ut perhi-*

betur), pèsent sur le monde, et il demande qu'on les précise. Il lui paraît peu vraisemblable que, dans ce temps de triomphe de l'Église sur toute la terre, il faille à nouveau craindre la persécution. Zachée parle alors de l'antéchrist et de ses ravages. On notera la même problématique dans la *Chronique*[1] de Sulpice Sévère : seule la persécution de l'antéchrist va encore succéder à la paix de l'Église. Le chapitre 8 prolonge la discussion sur la durée du règne de ce dernier et l'époque de sa venue. En III, 9, il est question des promesses scripturaires de la résurrection après la bataille finale, et *CZA* III, 10 conclut par une exhortation au martyre.

LE TEXTE ET SON HISTOIRE

I. La tradition manuscrite

1. *Présentation des manuscrits*

Les sigles des manuscrits adoptés dans la présente édition sont les mêmes que ceux de Morin. Nous ajoutons simplement **P** pour Paris, B.N., *lat. 2968 A*. On peut donner de ces témoins la description suivante, où ils apparaissent par ordre chronologique :

T Paris, B.N., *lat. 2667 A*, parch., xe s., p. I-II+1-136. 185x140 mm : (2) *CZA* (p. 1-136)[2]. Les p. 1-136 comportent

1. II, 33, 3 (*CSEL* 1, p. 87).
2. *Bibl. Nat., Catal. gén. des manuscrits latins*, t. 2 (1940), p. 570.

28-29 lignes par page. Les p. 1-109 sont presque toujours écrites par la même main, mais depuis la p. 118 jusqu'à la fin, l'écriture est sans doute d'une autre main. La page 1, presque totalement illisible, porte, rajouté au-dessus de ce qui devait être le titre ancien, un titre d'une écriture tardive, probablement celle de P. Pithou qui fut son propriétaire : *Consultationis siue altercationis inter Zacchaeum christianum et Apollonium philosophum libri tres.* En haut de la p. 104, on trouve le fragment suivant d'une autre écriture, également plus tardive : *Vox speculatorum tuorum leuauerunt uoces dicentes ecce dominus ueniet et saluabit nos*, qu'on peut identifier comme des fragments d'Isaïe 52, 8 et 35, 4.

Deux indices révèlent que ce manuscrit a sans doute au moins passé par l'abbaye de Fleury à Saint-Benoît-sur-Loire, en admettant qu'il n'y ait pas été directement écrit :

1) Les deux premières pages contiennent des fragments d'un tonaire. H. Huglo[1] y voit la deuxième partie d'un tonaire à notation neumatique du Val-de-Loire, dont un premier fragment se trouve au f. 116 du Paris, B.N., *lat.* 7185, ce dernier portant encore, au f. 116^{v}, lisible aux rayons ultra-violets, l'*ex-libris* de Fleury. Les deux fragments, ayant même dimension, contiendraient dans B.N., *lat. 7185* les tons IV à VII et dans B.N., *lat. 2667 A* la suite du ton VII et le ton VIII[2].

2) Il n'est pas folioté, mais paginé dans son ensemble à la manière des manuscrits de Fleury[3]. Toutefois, on ne peut pas déterminer la date exacte de cette pagi-

1. *Les tonaires*, Paris 1971, p. 317.

2. Position partagée par E. PELLEGRIN, « Membra disiecta floriacensia (II) », dans *Miscellanea codicologica F. Masai dicata*, éd. P. Cockshaw, Gent 1979, p. 83.

3. Ce que nous confirme une lettre de M. J. Vézin, Directeur d'Études à l'*EPHE*, datée du 15 mai 1991.

nation[1], sans doute nettement postérieure au texte, ni son auteur. En lui-même, ce second indice serait insuffisant pour prouver un passage par Fleury, mais peut corroborer le premier.

Notre manuscrit T fut, au XVIe s., la propriété de P. Pithou. Il passa ensuite dans la collection de J.A. de Thou, avant d'entrer à la Bibliothèque Royale. On trouve le texte des *CZA* présent dans ce manuscrit – sous le titre : *Altercatio Zacchaei et Apollonii* – dans le premier catalogue des manuscrits de J.A. de Thou en 1617 au n° 450 (B.N., *Dupuy 653*, f. 24). En outre, le *Catalogus codicum manuscriptorum Bibliothecae Regiae, pars tertia, tomus tertius*, Parisiis 1745, donne le titre suivant : *Altercatio inter Apollonium philosophum et Zacchaeum christianum.* Selon toute vraisemblance, le titre exact figurant au début du livre I, qui réapparaît en *explicit* de ce livre, était : *Altercatio Zacchei christiani et Apollonii philosophi.*

Les numéros de chapitre apparaissent, dans les trois livres, avant l'intervention d'Apollonius, mais les titres des chapitres, regroupés en sommaire, seulement avant les livres deux et trois.

P Paris, B.N., *lat. 2968 A*, parch., Xe s., p. 1-419, 125x95 mm. Ne contient que les *CZA*. 12 lignes par page. Il est à nouveau paginé comme T et non folioté. On peut considérer comme possible que la même main ait réalisé la pagination de T et de P. Dans le cas de P, l'hypothèse d'un passage par Fleury, qui ne pourrait reposer que sur cette constatation, est toutefois nettement plus faible que dans celui de T. P a également passé par les collections de Pithou et de J.A. de Thou. La signature de ce dernier se trouve à la p. 1. Dans le catalogue des manuscrits de J.A. de Thou en 1617 (B.N.,

1. Malgré M. MOSTERT, *The Library of Fleury*, Hilversum 1989, p. 37, qui veut la situer à l'époque de dom Chazal.

Dupuy 653, f. 31), notre texte est désigné au n° 604 comme *Interrogationes Zacchaei christiani et Apollonii responsa.* Dans le manuscrit lui-même, très abîmé à la p. 1, on peut encore lire les lettres suivantes : ******* *Zac***** **r****ani int**rogatio apollo*** *****sopb**. Le catalogue de la Bibliothèque Nationale donne : (...) *Zacchei christiani incipit interrogatio Apollonii philosophi et responsio Zacchei*[1].

Dans l'ensemble pourtant, son état de conservation est moins mauvais que ne le laisse entendre le catalogue. Les pages totalement illisibles comprennent une partie de *CZA* I, 1, et l'essentiel de III, 8 et III, 9 ainsi que la totalité de III, 10. Une page au moins, qui devait contenir une partie de I, 3-I, 4 a été perdue antérieurement à la pagination qui se suit normalement à cet endroit. En outre, de nombreux petits passages sont totalement ou partiellement illisibles. La liste exhaustive de tous ces passages allongerait excessivement l'apparat critique : c'est pourquoi nous avons omis, dans la plupart des cas, de les indiquer.

P ne contient que les *CZA* dont le texte a été corrigé par une seconde main qui semble la même pour l'ensemble du manuscrit. A plusieurs reprises, des phrases entières ou des parties de phrases du texte original, qui manquaient dans la première copie, ont été rajoutées. Dans ce manuscrit, la préface au livre I fait défaut, de même que tous les titres et numéros de chapitre.

M *Metz 141*, parch., XIe s., ayant appartenu au monastère Saint-Arnoul de Metz, et portant l'inscription *liber sancti Arnulphi.* Il figure encore dans un catalogue de cette abbaye fait en 1673[2]. Il contenait dans l'ordre : 1. *Liber Augustini contra Manicheos de duabus animabus.* 2. *Inter-*

1. *Bibl. Nat., Catal. gén. des manuscrits latins,* t. 3 (1952), p. 350.
2. Paris, B.N., *lat. 13070,* f. 115-122 (éd. P. Lauer, *BEC* 63, 1902, p. 501-514).

rogatio Apollonii philosophi et responsio Zachei. 3. Conflictus *Augustini et Fortunati.* 4. *Sermo in natali sancti Mathiae*[1]. Ce manuscrit a été détruit lors d'un bombardement au cours de la dernière guerre, mais Morin en note des variantes dans son édition. Pourtant, dans sa préface (p. 2), il indique que c'est son collaborateur, dom Lambot, qui l'a examiné à Metz. Cela suggère soit que Morin n'a pas vu le manuscrit, mais a envoyé à Lambot le texte de son édition encore en préparation pour que ce dernier y note les variantes de M, soit l'existence d'une copie ou d'une liste de variantes séparées que Lambot aurait fait parvenir à Morin. En tout cas, un tel document, s'il a existé, ne subsiste plus aujourd'hui à notre connaissance. En effet, les archives des deux érudits à l'abbaye de Maredsous n'en contiennent pas trace. Par ailleurs, la Bibliothèque municipale de Metz affirme n'avoir connaissance d'aucune reproduction[2]. Le manuscrit n'avait pas les titres des chapitres de notre texte, et vraisemblablement pas non plus les numéros de chapitre, absents aussi dans les autres membres de sa famille, C et P. Comme dans C, seuls l'*incipit* précédant le livre I et l'*explicit* concluant le livre III devaient y être présents, car l'édition de Morin ne note pas les autres.

L Paris, B.N., *lat. 2400,* parch., XIe s., 200 fol., 290x190 mm : *CZA* (fol. 183^v^-188^v^). C'est un mélange de pièces de genres littéraires très différents[3] où les copistes ont cherché à utiliser tous les espaces de parchemin disponibles. Le texte des *CZA* est écrit en 65-75 lignes par

1. Voir *Catal. gén. des manuscrits des bibliothèques publiques des départements, series in quarto,* t. 5, Paris 1879, p. 60.
2. Lettre du 2 janvier 1985.
3. Pour le contenu, voir *Bibl. Nat., Catal. gén. des manuscrits latins,* t. 2 (1940), p. 444. Au f. 102^v^, la notice, laissée en *explicit* du *De Officiis* d'Amalaire, présente le recueil comme un *corpus* et précise les circonstances de sa rédaction.

côté de feuillet, et les marges intérieures sont si petites que des problèmes de lecture apparaissent du fait de la reliure. Il a été réalisé sous la responsabilité d'Adémar de Chabannes, comme l'indique l'inscription laissée au f. 102ᵛ, en *explicit* du *Liber officialis* d'Amalaire : *explicit liber simphosi amalarii presbit. uenerabilis de diuinis officiis quem misit ad ludouicum et lotharium filios caroli magni imperatoris quem librum in hoc corpore transcribi curauit ademarus indignus monachus in honore dei et sancti *p****** . Le dernier mot a été gratté afin de cacher l'identité du monastère où le manuscrit a été réalisé, mais un *p* demeure encore lisible. C'est donc avec raison que Mgr Duchesne[1], suivi par L. Delisle[2], pense qu'il faut lire ici *sancti eparchi*, nom du monastère de Saint-Cybard d'Angoulême, où Adémar a le plus souvent résidé[3]. Mgr Duchesne pensait encore faire remonter la composition du manuscrit à 1031, après le synode de Limoges *sub Jordano episcopo*, nommé au f. 153ᵛ et traitant de l'apostolicité de saint Martial. Le manuscrit passa, avec d'autres livres d'Adémar, de Saint-Cybard d'Angoulême à Saint-Martial de Limoges après la mort de leur propriétaire. Il porte encore l'ex-libris de Saint-Martial au f. 1. Après y être resté jusqu'en 1730, il passa à la Bibliothèque Royale[4]. Comme dans T, les numéros de chapitre sont présents dans l'ensemble du texte avant chaque inter-

1. *Le Liber Pontificalis,* t. 1 (*Bibliothèque des Écoles d'Athènes et de Rome 1),* Paris 1886; 2e éd., Paris 1955, p. CLXXXII-CLXXXIII.

2. «Notice sur les manuscrits originaux d'Adémar de Chabannes», *Notices et extraits des mss de la Bibl. Nat. et autres bibliothèques,* 35-1 (1896), p. 296-301.

3. Voir J. DE LA MARTINIÈRE, art. «Adémar de Chabannes», *DHGE* 1 (1912), col. 535-540.

4. On peut encore lire la mention de notre texte dans la *Bibliotheca insignis et regalis ecclesiae sanctissimi Martialis Lemouicensis seu catalogus librorum manuscriptorum qui in eadem bibliotheca asseruantur,* Paris 1730, p. 99.

vention d'Apollonius. Les titres de chapitre, regroupés en sommaire, n'apparaissent qu'au début des livres deux et trois.

B Leiden, *Vossianus lat. Q 113,* XIe s., 61 fol., 230x175 mm. Ne contient que les *CZA*. Écriture sur deux colonnes distantes d'environ 10-15 mm. Dans le coin supérieur gauche à côté du numéro de feuillet figure un chiffre indiquant le numéro du livre de notre texte contenu dans chaque feuillet. Les titres, regroupés en sommaire, sont présentés au début de chaque livre. Mais pour les chapitres I, 33; I, 36 et depuis II, 17 jusqu'à III, 10, on voit revenir le titre déjà présent dans le sommaire avant le début du chapitre. En outre, les numéros des chapitres sont présents en marge au livre I, mais sont en général absents dans les deux autres. Le manuscrit est l'œuvre de plusieurs mains. La description qu'en donne K.A. de Meyier[1] note sept écritures différentes couvrant les plus longs fragments du texte, auxquelles d'autres se mêlent sur de plus petits passages.

A. Wilmart, dans sa description du fonds : Vatican, *Reginensis lat.*[2], a le premier émis l'hypothèse que B serait en fait la deuxième partie du *Vaticanus reginensis 252.* Isaac Vossius, bibliothécaire de la Reine Christine de Suède, aurait détaché une partie de l'actuel manuscrit du Vatican pour en faire un manuscrit distinct dans sa propre collection. Wilmart se base sur plusieurs indices probants. Tout d'abord l'ancienne composition du *Vaticanus regi-*

1. *Bibliotheca Universitatis Leidensis. Codices vossiani latini, desc. K.A. de Meyier, pars II. Codices in quarto,* Leiden 1975, p. 250.

2. *Codices Reginenses Latini, t. 2. Codices 251-500,* rec. A. Wilmart, Vatican 1945, p. 8-9. De Meyier, qui avait vu le manuscrit du Vatican en 1954 (selon A. VERHULST, « L'activité et la calligraphie du Scriptorium de Saint-Pierre-au-Mont-Blandin de Gand à l'époque de l'abbé Wichard », *Scriptorium,* 11 (1957), p. 47, n. 64) juge vraisemblable la position de Wilmart.

nensis 252, encore indiquée dans sa tabelle, au f. 1 : *liber sancti Augustini de diuersis questionibus octoginta tribus. Sermones Iohannis Chrysostomi numero decem,* dont le détail est ensuite indiqué, puis : *altercatio iacchei christiani et apollonii philosophi libri tres.* En face de cette dernière mention, une inscription d'écriture postérieure indique : *deest.* Ensuite, le manuscrit a les mêmes proportions que B : 230x175 mm, et deux colonnes également séparées par un espace de 10-15 mm. On peut ajouter à cela l'orthographe caractéristique du nom de Zachée : *iacchei,* identique dans les deux cas. Enfin, le manuscrit du Vatican est également l'œuvre de nombreuses mains. Wilmart propose huit écritures différentes.

Pour le *Vaticanus reginensis 252* (Xe-XIe s.), ce dernier établit tout d'abord sur des indices paléographiques sa conviction que le manuscrit provient d'un scriptorium des environs de Tours. Ses observations sont corroborées par une inscription du XIIIe s. placée sur un feuillet à la fin du manuscrit, et où figurent les noms des abbés d'un *maius monasterii.* Ce terme se rapporte sans doute à Marmoutier. Entre son éventuelle origine ou, en tout cas, son passage par ce monastère et son entrée dans la collection de la reine, on ne peut rien signaler de précis, hormis le fait qu'une inscription au f. 1 (*Numro 23 N. Peta. 1656*) range le manuscrit parmi les *non petauiani,* n'ayant pas appartenu à la collection de Paul et d'Alexandre Petau achetée par la Reine[1].

Le texte de B porte de fréquentes corrections de mains différentes de celles qui tracèrent les premières écritures,

1. Sur l'auteur de cette inscription ainsi que les multiples sources de la collection de la Reine, cf. J. BIGNAMI ODIER, «Le fonds de la Reine à la Bibliothèque Vaticane», dans *Collectanea Vaticana in honorem Anselmi M. Card. Albareda* (*Studi e Testi,* 219), Vatican 1962, p. 170-171 et 162-167.

mais qu'il est souvent impossible de distinguer entre elles. En outre, ce manuscrit comporte une ponctuation abondante et judicieuse.

V Variantes d'un manuscrit aujourd'hui perdu du monastère de la Trinité de Vendôme[1] par rapport à la première édition de d'Achéry. Elles ont été notées par É. Martène, *Thesaurus Novus Anecdotorum,* t. 5, Paris 1717. Comme ce dernier l'indique, les *CZA* précédaient, dans ce manuscrit, l'*Altercatio legis inter Simonem Iudaeum et Theophilum Christianum*[2]. Ce dernier écrit semble ne pas avoir eu, dans ce témoin, d'attribution à un auteur. Mais, comme on l'a noté plus haut, dom Martène, en attribuant directement l'œuvre à l'Évagre nommé dans son Prologue, sur la base de témoignages antiques, n'a pas envisagé la possibilité que tous les personnages du dialogue, y compris Évagre, fussent fictifs. L'*Altercatio legis* pouvait figurer dans ce manuscrit comme le quatrième livre des *CZA*, car le catalogue imprimé de la Bibliothèque publique de Vendôme nous apprend que le titre figurant au début du manuscrit était : *altercationum liber primus*[3]. En outre, un catalogue, réalisé en 1795 par l'oratorien Julien Londiveau (Vendôme, ms. 331), alors bibliothécaire, est le seul à pouvoir proposer une datation. Voici sa description : *Altercationum liber primus. Ce sont diverses questions théologiques dont les titres se trouvent au commencement du livre. Sur vélin réglé. Caractères du* XI*e au* XII*e siècle. 1 vol. in 4.*

1. Un catalogue des manuscrits présents dans cette abbaye avant la Révolution est édité dans B. DE MONTFAUCON, *Bibliotheca,* t. 2, Paris 1739, col. 1202-1204.

2. Voir les éditions de ce texte par E. Bratke dans *CSEL* 45 et R. Demeulenaere, *CCSL* 64, p. 235-302.

3. Voir *Cat. gén. des mss des Bibliothèques publiques de France. Départements,* t. 3, p. 454, n. 182.

Le témoin a probablement disparu peu de temps après la confection de ce catalogue, à l'époque révolutionnaire, en compagnie d'une trentaine d'autres manuscrits, aujourd'hui tous introuvables, même si leur déficit ne fut constaté qu'en 1853. On pourra soupçonner des parcheminiers et relieurs de s'être servis à la Bibliothèque en profitant des événements. La liste des variantes qu'en donne Martène est longue, et sans doute plus minutieuse que celle des variantes de M relevées dans l'édition de Morin. Toutefois, les variantes des *incipit* et *explicit* de chaque livre n'y figurent pas. Selon cette liste, V contient de très nombreuses leçons fautives par rapport au sens du texte que Morin n'a pas jugé bon de reprendre dans son apparat, mais que nous mentionnons assez souvent. Une certaine prudence s'impose quant à l'exactitude de la lecture de Martène. En effet, on peut s'apercevoir que, çà et là, il se trompe en notant le texte de l'édition de d'Achéry. A-t-il répété de semblables erreurs dans sa lecture du manuscrit? L'édition, plus facile à lire que le manuscrit, a pu être l'objet d'une lecture parfois rapide, alors que celle du manuscrit a dû être plus soignée, mais des erreurs ne peuvent être exclues.

C Cues, *52*, parch., XIIe s., 331 fol., 280x195 mm : (10) *CZA* (f. 189-198). Le manuscrit est un gros mélange de textes théologiques et canoniques[1]. Il faut y noter la présence dans le même ordre de trois des quatre textes constituant M : (10) *Zachei et Apollonii altercatio* (11) *Conflictus Augustini et Fortunati* (f. 198-200) (12) *Sermo in natali Sancti Matthiae* (f. 200-200^v^). Dans ce manuscrit, le texte des *CZA* est copié dans l'ensemble par une même main, mais quelques petits fragments portent d'autres écri-

1. Voir sa description par J. MARX, *Verzeichnis der Handschriften-Sammlung des Hospitals zu Cues*, Trèves 1905, réimpr. Francfort 1966, p. 47-51.

tures. La question de l'origine de ce témoin a été traitée par L. Traube[1], S. Hellmann[2], H. Schlechte[3] et K. Manitius[4], dont les travaux ont déterminé les prises de position ultérieures. Ces auteurs apportent des arguments vraisemblables en faveur d'une origine de C dans le monastère bénédictin Saint-Eucher et Saint-Matthias de Trèves, mais pourtant pas de certitude. Si trois des quatre textes contenus dans M réapparaissent dans le même ordre dans C, ceci n'indique pas forcément une copie directe de C sur M, mais suggère en tout cas une source commune pour les deux.

En plus des témoins mentionnés ci-dessus, il faut encore signaler un manuscrit qui appartint au XVIIIe s. à la collection de Zacharias Conrad von Uffenbach, érudit bibliophile de Francfort[5]. Ayant entrepris de vendre sa collection de son vivant, il en fit publier deux catalogues, en 1720 et 1730[6]. Si ce témoin existe encore aujourd'hui, il est vraisemblablement possédé par un antiquariat ou un collectionneur qu'on ne peut plus identifier. Avant sa mort en 1734, Uffenbach vendit lui-même une partie de ses trésors, et le reste fut vendu après sa mort à la Biblio-

1. *MGH, poetae latini Medii Aevi,* t. 3, Berlin 1896, p. 152-153.

2. Dans *Neues Archiv der Gesellschaft für ältere deutsche Geschichtskunde,* 30 (1905), p. 18-19.

3. *Erzbischof Bruno von Trier,* Thèse, Leipzig 1934, p. 71-76.

4. «Eine Gruppe von Handschriften des 12. Jahrhunderts aus dem Trierer Kloster St. Eucharius-Matthias», *Forschungen und Fortschritte,* 29 (1955), p. 317-319.

5. Sur ce personnage, sa collection et le sort de ses manuscrits conservés, cf. K. FRANKE, Uffenbach...

6. ZACHARIAS CONRAD VON UFFENBACH, *Bibliotheca Uffenbachiana manuscripta seu catalogi et recensio manuscriptorum codicum qui in bibliotheca Zachariae Conradi ab Uffenbach traiecti ad Moenum adservantur et in varias classes distinguuntur,* Halle 1720, et *Bibliotheca Universalis sive catalogus librorum tam typis quam manu exaratorum quos summo studio hactenus collegit Zach. Conradus ab Uffenbach.* Les mss sont dans le t. 3, Francfort 1730.

thèque de la ville d'Hambourg en 1747[1]. Le témoin contenant notre texte apparaît dans le catalogue de 1720 et dans le t. 3 de celui de 1730 sous le *n. XXIII* de la *Pars Quarta.* Il n'apparaît plus dans celui de 1747, ce qui signifie qu'il a été vendu ou donné entre 1730 et 1747, probablement du vivant de son propriétaire. On y remarque une attribution erronée de notre anonyme à Augustin. Sa composition, donnée par Uffenbach, est la suivante : *in duodecimo. I. S. Augustinus de contentione Zachaei et Apollonii. II. Macrobius in Cic. somnium Scipionis. III. Hygini de signis coelestibus breviarium. IV. Commentarius anonymi in Boethii arithmetica. V. De Ciceronis Orationibus et libris annotata quaedam. VI. Anonymi Tractatus de vitiis e S. Patrum scriptis. Exarata haec omnia circa finem seculi XIV.*

Nous avons encore pu noter deux témoins médiévaux aujourd'hui disparus dans les catalogues des abbayes Saint-Èvre de Toul et Saint-Martin de Massay, tous deux du XIe s. Dans le catalogue de Saint-Èvre[2] figure le seul manuscrit conservant le titre ancien de notre anonyme : *liber consultationum Zachaei volumen* I. Dans celui de Saint-Martin de Massay[3], on lit : *Altercatio Zacchei et Apollonii.* Ce dernier témoin pourrait toutefois être identique à notre manuscrit T eu égard à la formulation de son titre, mais rien d'autre ne permettrait de confirmer une telle hypothèse.

1. La liste de ce qui passa à Hambourg est le *Catalogus manuscriptorum codicum bibliothecae uffenbachianae,* Francfort 1747.

2. Éd. par R. Fawtier dans les *Mémoires de la Société d'archéologie lorraine,* 61 (1911), p. 129-152.

3. Éd. par L. Delisle, *Le cabinet des manuscrits de la Bibliothèque Nationale,* Paris 1874, t. 2, p. 442.

2. *Classement des manuscrits*

Divers éléments montrent l'existence de deux types textuels parmi les témoins conservés. Le premier, que nous appelons κ, regroupe CMP, le deuxième, que nous nommons *β*, comprend BV LT.

1) Le titre au début du livre I est *altercatio* dans *β*, *interrogatio* dans κ. En outre, sauf dans C et M, chaque livre est muni d'un *incipit* et d'un *explicit* distinct, que nous indiquons en apparat. Le titre ancien, confirmé par le catalogue de Saint-Èvre de Toul et la présence, dans la préface du livre I (praef., 2), de l'expression *consultationes facere*, avait sans doute les mots *consultationum Zachei et Apollonii,* mais il doit être reconstitué en partie par conjecture.

2) Dans κ, on observe un bouleversement de l'ordre des chapitres, dû sans doute à l'origine à une interversion de cahiers dans un manuscrit aux feuillets non numérotés. L'ordre des chapitres est conservé normalement jusqu'à I, 37, 4 (*deum*). Suit immédiatement le texte compris entre II, 14, 17 (depuis *tantum subsistentem*) et II, 19, 11 (*id est*). Vient ensuite II, 7, 1 (depuis *humilitatis*) jusqu'à II, 14, 17 (*tamen haec*). Puis I, 37, 4 (depuis *nosse*) jusqu'à la fin de I, 38. Tous les chapitres ainsi regroupés constituent le livre I. Le livre II vient ensuite normalement depuis son début jusqu'à II, 7, 1 (*denuntiatae*). On enchaîne ensuite avec II, 19, 11 (depuis *quae tibi*) jusqu'à la fin du livre II. Le livre III se présente normalement.

3) Tous les titres de chapitre manquent dans κ. B et V les ont pour l'ensemble du texte, mais le titre de I, 8 n'est conservé que dans B. L et T les donnent seulement à partir du livre II. Ces particularités contribuent déjà à former les sous-groupes BV et LT.

4) Les répliques des personnages sont régulièrement

introduites par *Apollonius dixit, Zaccheus respondit* dans CMP, *Apollonius philosophus, Zaccheus christianus* dans BV LT.

5) Les parag. de *CZA* I, 36, 4-9 (depuis *ex* jusqu'à *praeripit*) manquent dans *β*, mais sont conservés dans *κ*. Ces paragraphes peuvent avoir été omis intentionnellement, car ils traitent des raisons de la mort des nouveaux-nés en se fondant sur les connaissances de la médecine antique. Mais il pourrait aussi s'agir de la chute d'un feuillet. Une série d'autres petits fragments, conservés dans *κ*, manquent également dans *β*. En sens inverse, on observe, mais plus rarement, quelques cas de fragments présents dans *β* et absents de *κ*. Dans l'ensemble pourtant, *κ* a perdu moins de texte que *β*.

La famille *κ*

La présence du même bouleversement de l'ordre des chapitres dans CMP indique que ces trois manuscrits remontent certainement à une source commune où cette situation est apparue pour la première fois. Pourtant, il n'est pas possible de lier l'existence du type textuel *κ* à cette particularité. Ce dernier a fort bien pu exister avec l'ordre normal des chapitres.

L'examen des alliances entre les témoins éclaire le problème des rapports entre C et M. Ici, malgré la perte de M, les variantes données par Morin et d'Achéry rendent possible une évaluation de la situation. Ces deux témoins paraissaient avoir pu être copiés directement l'un sur l'autre. En effet, non seulement trois des quatre textes de M se retrouvent dans le même ordre et l'un derrière l'autre dans C, mais dans tous les deux, le texte commence au même endroit de la Préface au livre I, après avoir omis le début de la première phrase. En outre, une quantité de variantes identiques montre la parenté de C et de M. Le texte trahit pourtant certaines divergences, où l'on voit parfois C présenter un mot omis par M, ou l'inverse. Prenons les cas suivants : I, 1, 1 *te* C : *a te* M ; I, 31, 12 *est disciplinae* C : *disciplinae* M ; I, 37, 5 *ecce hic non* C : *ecce iam hic non* M ; I, 37, 6 *si consularis* C : *si consolari* M ; II, 2, 7 *capere humani sermonis* C : *et* M, variante notée dans la première édition de d'Achéry ; II, 7, 2 *idem diuinae maiestatis* C : *diuinae maiestatis* M ; II, 8, 7 *cor seminis populi tui* C : *cor similis populi tui* M ; II, 9, 5 *semine non legissent* C : *semine legissent* M ; II, 11, 14 *dei* C : *om.* M ; II, 12, 3 *ignorabitur et qui* C : *ignorabitur qui* M ; II, 13, 17 *inexpiabilis* C : *inexplicabilis* M ; II, 14, 6 *ad mundi consummationem* C : *ad consummationem saeculi* M ; II, 17, 19, *galatas* C : *galatiis* M ; III, 1, 2 *regenerationis nouitatem spirantis* C : *regenerationis nouitatem sperantes* M ; III, 1, 4 *formam munire conueniat* C : *formam unire conueniat* M ; III, 1, 4 *ut modum spiritalis diligentiae* C : *ut modum spiritalis indulgentiae* M ; III, 2, 3 *subiecit thesauri* C : *subiecit dicens thesauri* M ; III, 2, 6 *debere colere* C : *debere eius colere* M ; III, 5, 10 *castrauerint* C : *castrauerunt* M ; III, 6, 7 *ipse uero* C : *ipse autem* M ; III, 8, 12 *quae nobis quaedam* C : *quae quaedam* M ; III, 8, 13 *ait et nisi* C : *ait nisi* M ; III, 10, 2 *sine exercitationis meritorum* C : *sine exercitatione meritorum* M ; III, 10, 5 *quod eluere conuersio infirmior* C : *quod eluere conuersatio infirmior* M. On notera enfin que dans C, la Préface au livre I n'a pas de titre propre, le titre *interrogatio* venant après cette dernière, mais dans M, on lisait : *incipit praefatio in libro consultationum*, en plus du titre général d'*interrogatio*. La perte du manuscrit nous empêche de contrôler si la main qui a tracé le titre de la Préface est la même que celle qui a laissé le titre général.

Au vu de ces exemples, il est difficile de soutenir que

C a été directement copié sur M[1], et ce d'autant plus que Morin est loin d'avoir noté toutes les leçons de ce dernier. Le recours direct des deux à une même source est sans doute plus vraisemblable.

On notera aussi que les alliances entre C et *β* ou C et BV LT pris séparément contre les autres sont rares ou inexistantes. Il semble en aller de même pour M, avec les réserves qui s'imposent du fait de sa perte. Le groupe CM s'accorde parfois, contre les autres, avec B[2], mais rarement avec L, T ou V, ou encore les groupes LT ou BV.

Parmi les autres représentants de *κ*, P, témoin le plus ancien de ce groupe, est fréquemment en accord avec *β*. On le verra là où les alliances *β* P ou CM contre les autres apparaissent dans l'apparat négatif. Il peut aussi se trouver séparément en accord, contre les autres, avec LT, ou avec L seul. Il ne l'est pas ou rarement, contre les autres, avec BV, ou chacun de ceux-ci pris séparément.

Enfin *κ* s'accorde souvent, contre les autres, avec le groupe LT, moins souvent avec BV[3] ou B[4], rarement ou pas du tout avec L, T ou V séparément.

La famille *β*

BVLT se signalent, comme on l'a vu, par un certain nombre de lacunes textuelles communes, notamment *CZA* I, 36, 4-9, de même que par les variantes marquées *β*

1. Ce que proposait Morin dans son édition p. 3-4.
2. Voir I, 18, 12; I, 33, 11; I, 35, 1; II, praef., 1; III, 1, 13; III, 9, 9.
3. Voir I, 32, 4; I, 38, 5; II, 12, 2; II, 16, 10 et tous les endroits de l'apparat où LT sont seuls contre les autres.
4. Voir I, 22, 6; I, 27, 15; II, 15, 4 et les endroits où VLT sont seuls contre les autres.

dans l'apparat. Ces particularités sont suffisantes pour qu'on attribue à BV LT une source commune ancienne qui les contenait toutes. Le sous-groupe LT apparaît grâce à la présence, dans ces deux témoins, des titres de chapitre seulement pour les livres II et III. Ces titres sont certainement authentiques, puisqu'en *CZA* II, 14, 3, l'intervention de Zachée renvoie son partenaire à ce qui est écrit « dans le titre qui précède ». B les présente tous, et il ne manque dans V que le titre de I, 8, dont la formulation dans B : *si necessitas deo non fuit docere uoluntatem*, n'est pas satisfaisante grammaticalement. L'infinitif *docere* ou peut-être *doceri* devait être précédé par un groupe de mots qui a disparu.

Parmi les témoins composant le groupe *β*, le cas de B est le plus complexe. Il est nécessaire de distinguer les leçons de B avant et après correction. Avant correction, il présente, comme le montre l'apparat, un grand nombre de variantes communes avec V, qui sont parfois corrigées par une autre main conformément à LT κ. Cela, de même que la présence des titres de chapitre, nous permet d'envisager une source commune à B et V. Mais B peut aussi, dans moins d'une quinzaine de cas, s'accorder avant correction avec CM ou κ. On peut parfois également le trouver seul contre tous les autres, avant[1] ou après correction. Dans certains cas, la main qui fait la correction ajoute un *uel*, mais la raison de cet ajout est difficile à déterminer : II, 11, 4 *habentes... christi nomen proprio, ut est arrio uel arrius, nuncuparunt;* II, 15, 4 *praedicantis* corrigé en *praedicantes uel praedicans;* III, 1, 8 *gratiarum uel orationum;* III, 1, 14 *cui uel cuius liuidi oculi;* III, 3, 16 *semper surgentis uel pallentis aurorae;* III, 9, 3 *probare uel promere uoluerit.* Comment expliquer

1. Pour ce cas-là, voir notre apparat en I, 22, 4; I, 27, 16; I, 30, 2; II, 4, 10; II, 4, 14.

cette situation? Il est utile ici de revenir d'abord à l'observation de Wilmart au sujet du *Vaticanus reginensis 252* (daté du xe-xie s.): les différentes écritures qui le composent paraissent tantôt anciennes, tantôt plus récentes. Il s'agit d'un ouvrage collectif, et peut-être, d'un recueil constitué à partir de différents feuillets copiés par les différents scribes, où la diversité des époques et des méthodes de chaque copiste doit être prise en compte. Sa deuxième partie, le manuscrit de Leiden contenant les *CZA*, est également un travail collectif. Notre texte a pu être copié à partir d'une source ancienne gardant encore certaines leçons de κ. Cette dernière pouvait être endommagée, car certains scribes indiquent çà et là des lacunes textuelles par l'expression *deest.* Mais cette source devait être unique, car, avant correction, le texte copié par les premières mains est assez régulièrement en accord avec V. Dans cette situation, certains copistes ont pu préférer corriger en proposant d'autres possibilités de lecture de leur source illisible, signalées à l'aide du *uel.* D'autres scribes, et c'est vraisemblablement le cas en plusieurs endroits, ont pu introduire, par le même *uel,* des conjectures personnelles corrigeant la source. Enfin, on peut envisager la probabilité qu'un témoin d'un autre groupe textuel (LT ou κ) ait été utilisé là où B, après correction, recoupe LT κ, alors qu'auparavant, il avait la leçon de V. Pourtant, comme la première leçon de BV était souvent manifestement fautive, une correction par conjecture est également possible. Mais cette dernière possibilité ne pourrait pas expliquer tous les cas qui se présentent, et semble moins vraisemblable que le recours à un témoin d'un autre groupe textuel. On admettra donc volontiers que différents modes de correction aient pu intervenir, correspondant à des correcteurs distincts.

Dans la mesure où l'on peut se fier à la lecture de Martène, V est le témoin qui comporte le plus de variantes propres à lui seul, en général fautives par rapport au texte retenu. Le catalogue de Londiveau datait ce témoin du XIe au XIIe s. Il n'est que très rarement en accord avec κ ou un de ses représentants, mais occasionnellement avec L ou T, et le plus souvent avec B. On pourrait, étant donné ses nombreuses erreurs, y voir l'aboutissement d'une branche de la tradition β appauvrie par les conséquences de la transmission textuelle.

L'examen des variantes de l'autre sous-groupe, LT, fondé sur la même présence des titres de chapitre aux livres II et III, montre qu'il remonte sans doute à une source commune, mais L n'a pas été copié sur T.

3. La tradition indirecte

Des extraits de *CZA* II, 2, 3 et 5 figurent dans la profession de foi des évêques catholiques de Carthage adressée aux Vandales ariens en 484 et rapportée par Victor de Vita[1]. Les *CZA* figuraient également dans la bibliothèque d'Isidore de Séville, qui leur emprunte quelques fragments dans son *de fide catholica aduersus iudaeos*[2] et surtout dans son *de ecclesiasticis officiis*[3]. Enfin, les *Libri Carolini* III, 15[4], qui pourraient être une œuvre de Théodulfe d'Orléans, un des premiers abbés de Fleury[5], citent un long passage de *CZA* I, 28, relatif au culte de

1. *Historia persecutionis africanae prouinciae* II, 75-80, rec. M. Petschenig (*CSEL* 7), 1881, p. 56-59.
2. *PL* 83, 450-538.
3. Éd. C.M. Lawson (*CCSL* 113), 1989.
4. Éd. H. Bastgen, (*MGH Conc.* 2, *suppl.*), 1924, p. 135-136.
5. Voir la discussion chez A. Freeman, «Theodulf of Orleans and the Libri Carolini», *Speculum*, 32 (1957), 663-705; cf. L. Wallach, *Diplomatic Studies in Latin and Greek Documents from the Carolingian Age*, London 1977, p. 161-294.

l'image impériale. Tous ces extraits sont indiqués dans l'apparat des *Testimonia* de la présente édition[1]. Chez Victor de Vita et Isidore, on peut constater que le texte des *CZA* est tantôt du côté de β, tantôt du côté de κ. Il s'agissait sans doute d'un type textuel intermédiaire entre β et κ. Le fragment des *Libri Carolini* est plus nettement de type κ, mais il est trop court pour qu'on puisse dire qu'il représente un autre stade dans la tradition. Ces constatations sont importantes pour l'histoire du texte dans les sept premiers siècles. Alors que les témoins anciens, en tout cas jusqu'au VIIe s., présentent des variantes des deux familles, les manuscrits conservés, qui vont du Xe au XIIe s., montrent deux types textuels déjà bien distincts. P a gardé le plus d'accord avec l'autre famille, LT ont aussi un certain nombre de contacts avec κ qui s'expliquent par une proximité plus grande de leur source commune par rapport à celle de CMP. CM et V sont les plus distants entre eux. On a ainsi l'image d'une lente séparation de deux types textuels complémentaires, encore proches l'un de l'autre au cours des premiers siècles de la transmission, et qui pourraient avoir connu entre le VIIe et le Xe s. une évolution plus marquée vers l'état final de la tradition manuscrite.

4. *Stemma*

Les résultats de l'analyse ci-dessus peuvent être schématisés de la manière suivante :

Le stemma présente un côté κ et un côté β. $\kappa\alpha$ est l'ancêtre commun à CMP présentant l'interversion des cha-

1. Les extraits figurant dans Victor de Vita et les *Libri Carolini* sont également présentés *in extenso* dans notre travail, *Consultationes...*, p. 57-60 et 95-96.

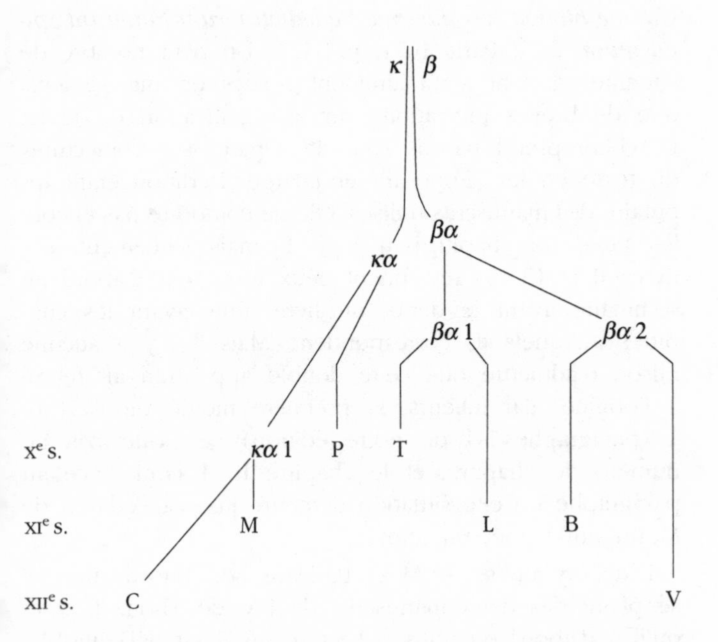

pitres, $\beta\alpha$ celui de BV LT. La source de C et de M est désignée par $\kappa\alpha 1$, celle de LT par $\beta\alpha 1$, celle de BV par $\beta\alpha 2$. Nous proposons que CM remontent directement à la même source, LT et BV à travers des intermédiaires. P est placé dans la partie du côté κ la plus proche de β. C et M d'une part, V de l'autre, se trouvent sur les côtés les plus opposés.

II. Les éditions imprimées

D'Achéry (1671)

L'*editio princeps* est due à dom d'Achéry, qui la fit paraître dans son *Veterum aliquot scriptorum qui in*

Galliae bibliothecis maxime Benedictinorum latuerant Spicilegium, t. X, Paris 1671, p. 1-125. Un petit nombre de variantes y sont sommairement notées en marge, ainsi que de brèves indications sur la signification du texte. D'Achéry prend parfois soin de séparer ses conjectures du texte en les proposant en marge. L'édition étant tributaire des manuscrits utilisés, elle ne comporte pas encore les titres de chapitre au livre I, mais seulement aux livres II et III. Ils reviennent deux fois : tout d'abord en sommaire avant le début du livre, puis avant les chapitres auxquels ils correspondent. Mais il n'y a aucune raison d'admettre que cette double apparition ait figuré à l'origine. Par ailleurs, la première moitié de *CZA* II, 1 (paragraphes 1-4 de notre édition) ne porte pas de numéro de chapitre, et le chapitre II, 1 commence au paragraphe 5. Cette situation demeure jusqu'à l'édition de Morin qui y met un terme.

D'Achéry utilise T, M et P. Dans son Introduction, il se plaint des deux manuscrits de J.A. de Thou, T et P, qu'il a d'abord pu utiliser. Le titre de T est déjà illisible, et les syllabes n'y sont pas adéquatement séparées d'un mot à l'autre. Il regrette également le mauvais état de P et l'interversion qu'il constate dans l'ordre des chapitres. L'utilisation postérieure de M l'aide grandement dans sa tâche. C'est grâce à ce témoin qu'il parvient à résoudre les problèmes posés par les deux premiers. C'est dire que cette édition a conservé un certain nombre de leçons de M, aujourd'hui disparu, directement dans son texte. Pourtant, comme presque aucune variante n'est notée en apparat, lorsque le texte retenu est le même que celui de T ou de P, on ne peut pas être totalement certain que M avait la même chose. Il semble bien que le premier éditeur a négligé davantage T et surtout P. En 1677, il publie encore en appendice au t. XIII du *Spicilegium* (p. 185-200) des variantes de L, découvert entre-temps.

D'Achéry. Seconde édition (1723)

En 1723, la seconde édition de l'œuvre de d'Achéry[1] révisée par L.F.J. de la Barre profite de ces variantes de L et de celles de V publiées en 1717 par Martène. Les titres de chapitre sont introduits au livre I grâce à l'usage de V. Mais ils ne sont indiqués, pour les trois livres, qu'en sommaire avant les préfaces, et non avant le début de chaque chapitre. Des notes de bas de page assez fréquentes indiquent les choix de l'éditeur, qui, globalement, accorde beaucoup de crédit à V. Pourtant, les arguments invoqués en faveur de ces choix manquent souvent de précision. La ponctuation, corrigée par rapport à l'édition antérieure, demeurera dans l'ensemble jusque dans celle de Morin.

Gallandi (1788)

La troisième édition due à A. Gallandi[2] en 1788 n'est pas qu'une réimpression de l'édition précédente. Quelques leçons nouvelles, peu nombreuses et de faible importance, y sont introduites sans que cela soit noté d'une manière spéciale en apparat. Il est souvent difficile de discerner s'il s'agit d'erreurs typographiques ou d'omissions plutôt que de conjectures voulues. Signalons l'orthographe *zacchaeus,* le deuxième *c,* qui se trouvait toutefois déjà dans B, T et P, étant introduit par Gallandi. Nous en indiquons quelques autres dans l'apparat critique.

1. *Spicilegium sive Collectio aliquot scriptorum qui in Galliae bibliothecis delituerant, nova editio,* Paris 1723, t. 1, p. 1 sv.
2. *Bibliotheca Veterum Patrum antiquorumque scriptorum ecclesiasticorum,* t. 9, Venise 1788, p. 205-249.

Migne (1845)

L'édition de Migne (*PL* 20, col. 1071-1166) reproduit, en y introduisant un certain nombre d'erreurs, celle de Gallandi, car lorsqu'elle présente des variantes propres, celles-ci sont régulièrement fautives. On notera que Migne réintroduit, contrairement aux deux éditions précédentes, les titres avant chaque chapitre, et non en sommaire. Mais le chapitre 8 du livre I, pour lequel aucun titre n'était encore connu à cette époque, reçoit le titre du chapitre 9, décalant ainsi d'une unité titres et numéros de chapitre jusqu'en I, 28. A cet endroit, l'éditeur répète arbitrairement le numéro du chapitre pour revenir dans l'ordre normal à partir de I, 29.

Morin (1935)

Le travail de dom Morin[1] profite de la découverte de C et de B. Mais, en raison de sa fatigue oculaire, il ne peut plus utiliser C que pour l'examen de *CZA* I, 1-9 et I, 36, 4-9. Il doit également se passer de P, que déjà d'Achéry semblait avoir peu utilisé. Quant à M, c'est dom Lambot, son collaborateur, qui semble l'avoir examiné pour lui. En outre, peu de variantes de L et T sont notées, l'éditeur accordant plus d'attention à B, mais sans pourtant différencier suffisamment les leçons de ce témoin avant et après correction. Dom Morin manifeste dans l'ensemble un goût prononcé pour la *lectio difficilior* dans les manuscrits. Il rétablit l'ordre normal des titres de chapitre, ayant trouvé dans B le titre de *CZA* I, 8. L'apparat scripturaire est également complété dans une certaine mesure.

1. I. FIRMICI MATERNI, *Consultationes Zacchaei et Apollonii* (*Florilegium Patristicum* 39), Bonn 1935.

La présente édition

Elle contient environ 110 modifications textuelles, notées en apparat, par rapport à celle de Morin, sans compter les remaniements de ponctuation. En outre, elle utilise C et P. Nous complétons les apparats critique et scripturaire, et y joignons un petit apparat des *Testimonia.* De nouvelles subdivisions du texte en paragraphes ont également été introduites.

Lorsqu'il s'agit du texte scripturaire, nous avons parfois réintroduit les erreurs originales dans l'attribution d'un passage à un auteur biblique, conservées dans certains manuscrits, alors qu'elles avaient été corrigées dans les autres. En effet, l'anonyme commet un certain nombre de fautes, peut-être à cause de citations faites de mémoire, non seulement en attribuant à un auteur un verset qui n'est pas de lui (voir par ex. II, 7, 15 pour *Rom.* 12, 19; II, 15, 8 pour *Phil.* 2, 8; II, 17, 19 pour *Gal.* 4, 19; III, 8, 14 pour *II Sam.* 24, 13-16), mais encore en citant un passage dans une forme tellement particulière qu'il ne peut s'agir que d'un commentaire sur le texte confondu avec ce dernier (voir II, 4, 10 pour *Ex* 23, 20-21, à rapprocher du commentaire de TERTULLIEN, *Jud.* 9, 23 (*CCSL* 2, p. 1371-1372); III, 1, 16 pour *Rom.* 9, 33; III, 5, 8 pour un passage que nous analysons dans l'Appendice XIV). En outre, il lui arrive parfois de présenter comme une citation rattachée à un auteur biblique un texte dont le début et la fin sont bien précis, mais qui n'est en réalité qu'une allusion à un verset ou un groupe de versets librement combinés. On notera aussi que, dans le choix et le regroupement des citations destinées à soutenir ses thèses, il trahit assez souvent, comme nos travaux préparatoires à cette édition, non publiés[1], l'ont fait appa-

1. Il s'agit d'un tableau qui met en parallèle le texte scripturaire des *Consultationes* et celui des *Testimonia* dans l'édition de R. Weber

raître, sa dépendance, au moins indirecte, par rapport aux *Testimonia ad Quirinum* transmis sous le nom de Cyprien. Pour le reste, son texte biblique est à considérer comme un témoin de la *Vetus Latina*.

Nous tenons à remercier ici tout d'abord notre collaborateur compétent et dévoué, M. le Prof. W. Steinmann, ainsi que le Fonds National suisse de la Recherche sans lequel cette édition n'aurait pas pu voir le jour. Sans oublier les nombreuses bibliothèques qui ont aimablement répondu à nos demandes, nous exprimons spécialement notre gratitude aux institutions et personnes suivantes : M. le Prof. O. Wermelinger de l'Université de Fribourg, l'I.R.H.T. à Paris, M. le Prof. F. Dolbeau, M. le Prof. J. Vézin, M. le Prof. R. Flückiger, Mme S. Ducommun, M. le Prof. M. Folkerts de l'Université de Münich, M. Dr B. Barker-Benfield, M. Dr H. Eymann et l'Institut pour la *Vetus Latina* à Beuron qui nous ont transmis de nombreuses données, M. Dr F. Nuvolone, Chargé de Cours à l'Université de Fribourg, qui nous a fait profiter de son expérience pour les problèmes relatifs à la tradition manuscrite, et fut en permanence un précieux auxiliaire. Enfin, et d'une manière toute spéciale, nous voulons dire notre reconnaissance à M. le Prof. P. Monat, de l'Université de Franche-Comté à Besançon, qui a accepté de relire notre édition, et a étroitement collaboré à la mise au point finale du manuscrit.

(*CCSL* 3). On y remarque que 115 citations bibliques de notre anonyme se retrouvent dans les *Testimonia,* mais dans une forme textuelle assez souvent différente. On observe parfois aussi le regroupement des mêmes citations en faveur d'une thèse identique dans les deux écrits. Ceci semble indiquer davantage une utilisation indirecte, à travers un recueil d'époque plus tardive. Toutefois, du fait des nombreuses variantes dans les manuscrits de l'*Ad Quirinum,* la question ne peut pas être résolue, et une lecture directe n'est pas à exclure.

BIBLIOGRAPHIE SÉLECTIONNÉE

I. ÉDITIONS

Veterum aliquot scriptorum qui in Galliae bibliothecis maxime Benedictinorum latuerant Spicilegium, nunc primum in lucem opera et studio domni L. D'ACHÉRY, Paris 1671, t. X, p. 1-125.

Spicilegium sive collectio aliquot scriptorum qui in Galliae bibliothecis delituerant, nova editio, priori accuratior et infinitis prope mendis ad fidem mss. codicum, quorum varias lectiones V.C. Baluze ac P. E. Martène collegerunt expurgata, per L.F.J. DE LA BARRE, Paris 1723, t. I, p. 1-41.

Bibliotheca Veterum Patrum Antiquorumque Scriptorum Ecclesiasticorum, cura et studio A. GALLANDI, Venise 1788, t. IX, p. 205-249.

Thesaurus Novus Anecdotorum...nunc primum studio et opera E. MARTÈNE, et U. DURAND, Paris 1717, t. V, col. 1847-1876.

I. FIRMICI MATERNI, *Consultationes Zacchaei et Apollonii,* ed. G. MORIN, (*Florilegium Patristicum* 39), Bonn 1935.

PL 20 (1845), col. 1071-1166.

II. ÉTUDES

AXELSON (B.), *Ein drittes Werk des Firmicus Maternus. Zur Kritik der philologischen Identifizierungsmethode,* thèse, Lund 1937, réimpr. dans *Bulletin de la Société Royale des Lettres de Lund,* 4 (1936-1937), p. 107-132.

CAVALLERA (F.), «Un exposé sur la vie spirituelle et monastique au IVe siècle», *RAM* 16 (1935), p. 132-146.

CAVALLERA (F.), art. «Consultationes Zacchaei et Apollonii», *DSp* 2 (1953), p. 1641-1643.

COLOMBAS (G.M.), «Sobre el autor de las Consultationes Zacchaei et Apollonii», *Studia Monastica,* 14 (1972), p. 7-14. Cité : COLOMBAS, Sobre el autor.

COURCELLE (P.), «Date, sources et genèse des Consultationes Zacchaei et Apollonii», *Revue de l'histoire des religions,* 146 (1954), p. 174-193, réimpr. dans son *Histoire des Grandes Invasions Germaniques,* 3e éd., Paris 1964, p. 261-275. Cité : COURCELLE, Date.

FABRICIUS (J.A.), *Bibliotheca latina mediae et infimae latinitatis,* 3e éd., Florence 1858, p. 523-525.

FEIERTAG (J.L.), *Les Consultationes Zacchaei et Apollonii. Etude d'histoire et de sotériologie* (*Paradosis* 30), Fribourg 1990. Cité : J.L. FEIERTAG, *Consultationes.*

FONTAINE (J.), «L'aristocratie occidentale devant le monachisme aux IVe et Ve siècles», *Rivista di storia e letteratura religiosa,* 15 (1979), p. 28-53.

FONTAINE (J.), art. «Sulpice Sévère», *DSp* 14 (1990), col. 1301-1308.

FRANKE (K.), «Zacharias Konrad von Uffenbach als Handschriftensammler», *Börsenblatt für den deutschen Buchhandel. Frankfurter Ausgabe, Nr. 51 vom 29 Juni 1965,* p. 1235-1338, réimpr. dans *Archiv für Geschichte des Buchwesens,* 7 (1967), p. 2-207 Cité : FRANKE, Uffenbach.

GRIFFE (E.), «Saint Martin et le monachisme gaulois», dans : *Saint Martin et son temps* (*Studia anselmiana* 46), Rome 1961, p. 3-24.

GROSS (J.), *Entstehungsgeschichte des Erbsündendogmas,* t. 1, Münich 1960.

HOLMES (C.), «The Discussions of Zacchaeus and Apollonius III,1-6», *Monastic Studies,* 12 (1976), p. 271-287.

LAMOTTE (J.), «Saint Augustin et la fin du monde», *Augustiniana,* 12 (1962), p. 5-26.

LAWSON (A.C.), «Consultationes Zacchaei christiani et Apollonii philosophi. A Source of St Isidore of Seville», *RBén.* 57 (1947), p. 187-195.

LORENZ (R.), «Die Anfänge des abendländischen Mönchtums im 4. Jahrhundert», *ZKG* 77 (1966), p. 1-61.

MARAVAL (P.), *Lieux saints et pèlerinages d'Orient : histoire et géographie, des origines à la conquête arabe*, Paris 1985.

MORIN (G.), «Ein zweites christliches Werk des Firmicus Maternus. Die Consultationes Zacchaei et Apollonii», *Historisches Jahrbuch*, 37 (1916), p. 229-266. Cité : MORIN, Ein zweites.

PASCHOUD (F.), *Roma aeterna*, (*Bibliotheca Helvetica Romana* 7), Rome 1967. Cité : PASCHOUD, *Roma*.

REATZ (A.), «Die Theologie der Consultationes Zacchaei et Apollonii mit Berücksichtigung ihrer mutmasslichen Beziehung zu Firmicus», *Der Katholik, 4. Folge*, 22 (1918), p. 300-314.

REATZ (A.), *Das theologische System der Consultationes Zacchaei et Apollonii* (*Freiburger theologische Studien* 25), Freiburg i. Br. 1920. Cité : REATZ, *Das theologische System* (1920).

SCHINDLER (A.), art. «Gnade III-IV», *RAC* 11 (1981), col. 382-446.

SETTON (K.M.), *Christian attitude towards the Emperor in the fourth century, especially as shown in addresses to the Emperor* (*Studies in history, economics and public laws* CCCCLXXXII), New York 1941, réimpr. 1967.

SLUSSER (M.), «The Scope of Patripassianism», *Studia Patristica*, 17/1 (1982), p. 169-175.

STUDER (B.), «Zu einer Teufelserscheinung in der Vita Martini des Sulpicius Severus», dans *Oikumene. Studi paleocristiani publicati in onore del concilio ecumenico Vaticano II*, Univ. di Catania 1964, p. 351-404.

VERMANDER (J.M.), «La polémique des apologistes latins contre les dieux du paganisme», *Recherches augustiniennes*, 17 (1982), p. 3-128.

VOGT (H.J.), *Coetus Sanctorum* (*Theophaneia* 20), Bonn 1968.

ZWIERLEIN (O.), «Der Fall Roms im Spiegel der Kirchenväter», *Zeitschrift für Papyrologie und Epigraphik*, 32 (1978), p. 45-80. Cité : ZWIERLEIN, Der Fall.

CONSPECTVS SIGLORVM

Manuscrits

B	Leiden, *Vossianus lat. Q 113*, XIe s.
V	Variantes du manuscrit de l'abbaye de la Trinité de Vendôme, par rapport à la première édition de d'Achéry, notées par E. MARTÈNE-U. DURAND, *Thesaurus Novus Anecdotorum*, t. 5, Paris 1717, col. 1846-1876[1]
L	Paris, B.N., *lat. 2400*, XIe s.
T	Paris, B.N., *lat. 2667A*, Xe s.
C	Cues, *52*, XIIe s.
M	Metz, *141*, XIe s.[2]
P	Paris, B.N., *lat 2968A*, Xe s.[3]
β	consensus de BV LT
κ	consensus de CMP

1. A l'exception des *incipit* et *explicit* de chaque livre, – dont la formulation n'est généralement pas notée par Martène et pour lesquels nous n'indiquons le plus souvent rien en apparat, car on ne peut plus les connaître – si aucune variante n'est notée, nous attribuons à V exactement le texte de l'*editio princeps* que nous traitons selon les principes ordinaires d'un apparat négatif. Cette situation implique un risque d'erreur dans l'apparat, notamment le fait que la variante B LT puisse quelquefois être en réalité une variante BV LT.

2. On aurait pu tenter de reconstituer, avec pas mal de vraisemblance, le texte complet de M, aujourd'hui perdu, en attribuant systématiquement à ce dernier les variantes communes à C et à P. Mais ceci aurait nécessité l'introduction dans l'apparat de signes particuliers indiquant cette vraisemblance dans chaque cas. Il en aurait résulté une complication excessive. C'est pourquoi l'apparat négatif ne doit pas être pris à la lettre en ce qui concerne M. Lorsqu'aucune variante de ce manuscrit n'est notée chez Morin, nous lui attribuons le texte adopté par ce dernier éditeur, mais la vraisemblance que la variante commune à C et à P se retrouve dans M est souvent très élevée. De même dans un certain nombre de cas, la variante C pourrait être une variante CM.

Éditions[4]

a^1	*editio princeps* dans le *Spicilegium* de L. d'Achéry (1671)
a^2	*deuxième édition* dans le *Spicilegium* de d'Achéry, révisé par L.F.J. de la Barre (1723)
g	édition de Gallandi (1788)
m	*PL* 20 (1845), col. 1071-1166
mo	Morin (1935)

Les autres abréviations utilisées sont tirées des *Directives pour la préparation des manuscrits* de Sources Chrétiennes. Nous y ajoutons :

pr.m.	prima manus
sec. m.	secunda manus[5].

3. Nous n'indiquons pas tous les petits passages de ce témoin qui sont illisibles. Mais cette situation ne devrait pas beaucoup affecter l'exactitude de l'apparat négatif pour ce témoin.

4. Pour ne pas alourdir excessivement l'apparat, de nombreuses variantes fautives des éditions, surtout celles de a^1, ne sont pas notées.

5. 2e éd., 1978, p. 66. Dans le cas de P, *sec.m.* placé en exposant indique l'intervention d'une même main postérieure pour l'ensemble du manuscrit. Dans celui de B, il indique une ou plusieurs mains postérieures, qu'on ne peut distinguer l'une par rapport à l'autre. Les sigles *ac* et *pc* sont utilisés dans les cas où il n'est pas possible de savoir si la main qui corrige ou ajoute est différente de la première. – L'apparat est purement négatif. Cela signifie que, lorsque l'une seulement des deux abréviations, *pr.m.* ou *sec.m.*, *ac* ou *pc*, apparaît dans les variantes indiquées en apparat, l'autre convient toujours au texte retenu. Pour chaque variante, les manuscrits sont cités dans l'ordre suivant, qui respecte les sous-groupes de chaque famille : BV LT CMP.

TEXTE ET TRADUCTION

CONSULTATIONUM ZACCHEI CHRISTIANI ET APOLLONII PHILOSOPHI LIBER PRIMUS

Praef. **1.** Apud quosdam contradictio gentilium, quia
5 sit ab omni uera sapientia exsul et uacua, spernenda potius uidetur esse quam refellenda, cum in contemptu eius fastidium inutile, in informatione autem duplex bonum sit : quod et religio nostra, sicut est, sancta et simplex, omnibus intimatur, et solent edocti credere quod spreuerint
10 nescientes. **2.** Visum est ergo rem magnam, licet tenui stilo, condere et clarius quidem a multis, sed sparsim dicta, in corpore quodam credulitatis aperire, atque introducta sciscitantis respondentisque persona, paulatim consultationes de contradictionibus facere. **3.** Itaque, ne

LIVRE I, *INSCRIPTIO* incipit liber altercationum iacchei christiani et apollonii philosophi B altercationum liber I V incipit altercatio apollonii philosophi et zachei christiani L *titulus antiquus obliteratus est in* T incipit interrogatio apollonii philosophi et responsio zachei M ******* Zac**** **r****ani int**rogatio apollo*** *****soph* P consultationum zacchaei [zachaei *a*[1-2]] christiani et apollonii philosophi *edd.*

Praef. *praefatio non potest legi in* T *et deest in* P || 4-5 apud – uacua *om.* CM || 5 exsul : exclusa L || aspernenda CM *praem.* incipit praefatio in libro consultationum M et spernenda V || 6 esse *om.* C || 7 informatione : existimatione CM || 8 sicut est : sit CM *a*[1] || 9 edocti : eo docti CM *a*[1] || 12 dictam V || in *om.* V CM *a*[1] || quodam *om.* B L

LIVRE PREMIER DES CONSULTATIONS DU CHRÉTIEN ZACHÉE ET DU PHILOSOPHE APOLLONIUS

***Praef.* 1.** Aux yeux de certains, l'opposition des païens, parce qu'elle est dépourvue et vide de toute vraie sagesse, semble plutôt devoir être méprisée que réfutée[1], bien que le mépris de leur opposition engendre un stérile sentiment d'aversion, et qu'au contraire une œuvre d'information comporte une double utilité : c'est que notre religion est inculquée telle qu'elle est, sainte et simple, à tous, et que ceux qui ont reçu cet enseignement sont portés à croire ce qu'ils méprisaient quand ils l'ignoraient. **2.** Il nous a donc semblé bon d'exposer un grand sujet, bien que dans un style simple, et d'expliquer des choses que beaucoup ont dites certes avec plus d'éclat, mais d'une manière dispersée, en une sorte de traité d'ensemble de ce que nous croyons, et, en nous servant d'un personnage qui interroge et d'un autre qui répond, de faire successivement des consultations sur les matières à

1. Sur l'argument de l'éventuelle inutilité d'écrire contre des païens trop bornés, voir CYPR., *Demet.*, 1 (*CCSL* 3A, p. 35) ; LACT., *Inst.*, V, 1, 8-9 (*SC* 204, p. 129). Le thème de la *uera sapientia* est celui du livre IV des *Institutiones* de LACTANCE.

15 sibi uelut absenti praeiudicatum gentilitas quereretur et, ut ille ait, *ne inquam et inquit saepius interponeretur,* placuit gentilitatis adhibere philosophum. Qui in praefatione propositionis suae, dum de credulitate nostra arrogantius disputat, breuiter quid credere debeamus exponit.
20 Membratim postea perscrutans omnia, subcrescentibus interrogationum causis, fatum homini non esse cognoscet. **4.** De quo praecipue ob mathesim aliquantisper resultans, sicut de caeteris, ad extremum fidei manus dabit. **5.** Noster uero in expositionem uenerandae religionis sensim leni-
25 terque descendens, ex multis atque inenarrabilibus pauca et summa perstringet, rationem, quae sola ab huiusmodi disputatoribus quaeritur, sicubi terrenis intellectibus deest, fidei spiritualiter commissam demonstrans, rerum indiciis, non soliditatibus moraturus, quoniam admotum caecis
30 oculis lumen, si splendore non cernitur, calore sentitur.

I. Si Christus deus et homo esse possit

APOLLONIUS PHILOSOPHUS **1.** In tempore, Zacchee, te mihi et his qui adsunt oportunitas praestitit, ut quae olim abusiue praeloquebamur nunc libere et proferre liceat et

17 gentilitati BV L || 18 suae *om.* BV L || de *om.* L || nostram L || 19 debemus L || 24 expositione CM || 27 disputationibus BV L || 30 si *om.* C

I, 2 *ante* apollonius *praem.* incipit interrogatio apollonii philosophi et responsio zachei C *praem.* incipit opus M *praem.* incipit L || philosophus : dixit *constanter* κ || I]n : *hic inc.* P *qui usque ad lineam 9 legi vix potest* *om.* CM + hoc L || tempore *om.* CM || zachee LT CM zachaee *a*[1-2] zacchaee *gm mo* iacheae B + a M || 4 praeloquebatur V

1. Cic., *Lae.*, I, 3 (éd. R. Combès, *CUF*, Paris 1983, p. 3).
2. Cf. Cic., *Lae.*, XXVI, 99, *loc. cit.*, p. 59.
3. Cf. Lact., *Inst.*, I, 1, 20-21 (*SC* 326, p. 38-40).

contradictions. **3.** C'est pourquoi, afin que le paganisme ne se plaigne pas d'être jugé par avance comme s'il était absent, et, comme le dit un auteur illustre, «pour ne pas mettre trop souvent *dis-je*, ou *dit-il*[1]», nous avons décidé de recourir à un philosophe du paganisme. Ce dernier, au début de son propos, tout en mettant notre croyance en question avec une certaine arrogance, expose brièvement ce que nous devons croire. Plus tard, en fouillant tout point par point, face à la multiplication des motifs de mise en question, il reconnaîtra que l'homme n'a pas de destin. **4.** Tout en se montrant réticent pendant un certain temps sur cette question, surtout à cause de l'astrologie, ainsi que sur d'autres, il s'avouera finalement vaincu devant la foi[2]. **5.** Quant à notre représentant, qui en viendra graduellement et progressivement à l'exposé de notre vénérable religion, il touchera un petit nombre de questions[3], les plus élevées, parmi des sujets nombreux et impossibles à exposer, en démontrant que la raison – qui seule est recherchée par ceux qui se livrent à de telles discussions, si elle manque quelquefois aux intelligences terrestres – est unie à la foi par une attitude spirituelle, et cela d'une manière telle qu'il s'arrêtera aux significations profondes des choses, non à leur matérialité, puisque la lumière apportée à des yeux aveugles[4], si elle n'est pas vue grâce à son éclat, est sentie par sa chaleur.

I. Si le Christ peut être Dieu et homme

APOLLONIUS LE PHILOSOPHE. **1.** C'est au bon moment, Zachée, qu'une occasion favorable t'a amené à moi et à ceux qui sont ici, pour nous permettre d'exprimer et d'examiner librement maintenant ce que nous avions

4. Le thème de la cécité spirituelle des païens est connu depuis TERT., *Nat.*, I, 4, 9 (*CCSL* 1, p. 15) et repris chez CYPR., *Demet.*, 1 (*CCSL* 3A, p. 35).

5 probare. **2.** Omnes enim religionum sectas et uniuersos sacrorum ritus rationabilibus manasse primordiis facile intellegas, si diligenter inquiras. Vestrae autem credulitatis secta ita superflua et irrationabilis est ut mihi non nisi per stultitiam recipi posse uideatur. **3.** Quid enim tam
10 absurdum et ab humana ratione tam discrepans quam ut Christus, quem dei Filium dicitis, deus et homo pariter idemque credatur; conceptum sine semine uirgo pariat, deus nascatur ex femina, per consequentes postea aetatum gradus terreni actus humilitatem cognoscat, sentiat, patiatur
15 et perferat, fixus deinde cruci mortem adeat atque ad extremum mortuus a se suscitetur? **4.** Nec sufficit huius persuasionis auctoribus tam stultae traditioni adgregare consensum, nisi et immortales gentilium deos fastidiosa infestatione condemnent; uigentem praeterea aeternitate
20 sua mundum uelut temporarium breuemque despiciant, sibi sine fati ullius constitutione degentibus post resurrectionem corporum mortuorum immortalitatis beatitudinem pollicentes. **5.** Cuius obseruantiae rationem, si tamen ratio dicenda est hominum stulta persuasio, si
25 reddere potes uel audes, cum praesentium examinatione demonstra, ut aut conuictus ab errore discedas, aut me eadem condicione superatum, traditioni tuae consilio teste coniungas.

ZACCHEUS CHRISTIANUS **6.** Audire quidem quiuis facile
30 potest uerum, et de deo uerum proferre, si tamen quicquam ex diuinis uestrae sapientiae congruum talique

12 conceptus LT || 17 traditioni : rationi LT *a*[1] || 25 potest P || 29 zacheus LT CM iaccheus B || christianus : respondit *constanter* κ || audere *β a*[2]*gm mo* audiri P[sec.m.] || 30 uerum[1] *om.* κ || et : ut C || de *om.* T || proferri P

1. Autres mentions des assistants en I, 3, 2; I, 4, 1 et I, 38, 8.

autrefois discuté alors que ce n'était pas le propos. **2.** En effet, que toutes les sectes des religions et tous les rites des choses sacrées ont découlé de principes rationnels, on peut facilement le comprendre, si l'on mène une enquête diligente. En revanche, la secte de votre croyance est si superficielle et irrationnelle qu'elle ne me semble pas pouvoir être acceptée si ce n'est par sottise. **3.** En effet, qu'y a-t-il de si absurde et de si discordant par rapport à la raison humaine que de croire le Christ, que vous dites Fils de Dieu, également Dieu et homme ; qu'une vierge l'engendre après l'avoir conçu sans semence, qu'étant Dieu, il naisse d'une femme et qu'ensuite, au cours des temps ultérieurs, il connaisse, ressente, supporte et endure l'abaissement d'une vie terrestre, que plus tard il meure fixé à une croix et que finalement, après sa mort, il soit ressuscité par lui-même? **4.** Et il ne suffit pas aux instigateurs de cette conviction d'ajouter foi à un enseignement aussi sot, mais ils condamnent encore dans une attaque arrogante les dieux immortels des nations ; en outre, ils méprisent le monde, fort de son éternité, comme temporel et éphémère, se promettant à eux-mêmes qui passent leur vie sans aucun décret du destin, la béatitude de l'immortalité après la résurrection des corps des défunts. **5.** Si tu peux ou oses rendre raison de cette observance, si toutefois il faut appeler raison une sotte conviction humaine, présente une démonstration pour que ceux qui sont ici présents l'examinent[1], de sorte que, ou bien, convaincu de ton erreur, tu t'en éloignes, ou bien, après m'avoir battu dans les mêmes conditions, tu m'attaches à ton enseignement sur la base de ton avis.

ZACHÉE LE CHRÉTIEN. **6.** N'importe qui pourrait facilement entendre la vérité et exprimer la vérité au sujet de Dieu, si l'on parvenait, du moins, à extraire à partir des doctrines qui le concernent, quelque chose qui, tout

iustitiae non abhorrens possit expromi. **7.** Vestrae enim sententiae est sapientem nihil opinari, nihil credere, non falli, per se omnia scire, et occulta atque ignorata non
35 perpeti, nec maiorem creatori possibilitatem facere quam creaturae, aeque de dei sensu atque hominis iudicare, et praecipue aduersus Christianos hanc disputationis intentionem tenere. **8.** Vnde haec quoque collectio tua coepit, quod prius damnaueris, postea uelle cognoscere.

II. Quomodo idem Christus sit dei Filius

APOLL. PHILOS. **1.** Facilitas me uestrae credulitatis et contra totius mundi rationem legemque naturae suscepta confessio uehementius loqui et districtius disserere coegit.
5 **2.** Verumtamen si est respondendi fiducia, hanc primum mihi fidem pande : quomodo Christum uideri deum uel dei Filium uultis, quem postea et hominem non negetis, cum utique aut deus aut homo debeat praedicari, quia omnium intellectibus patet alterum fieri posse, simul
10 utrumque esse non posse.

ZAC. CHR. **3.** Vestrarum argutiarum est ista subtilitas, quod credi nolitis recepta primum parte destruere, et ad hoc exiguis manus dare ut integra subruatis. **4.** Vnde maxime ad uos silentium praestat, quia, cum sit leuior

33 sententiae : scientiae P || 34 falli : + sed κ || 37 aduersum P || 38 dilectio C
II, 8 praedicare T || 11 uestrarum : nostrarum V

---

1. Allusion à CIC., *Lucullus*, 18, 59 (éd. Plasberg, Leipzig 1908, t. 1, p. 99, 3-6) : « Pour moi, le fait qu'il existe quelque chose que l'on peut comprendre par l'esprit (...) n'est pas aussi certain que le fait que le sage ne fait jamais de conjecture, c'est-à-dire ne donne jamais son assentiment à quelque chose de faux ou d'inconnu » ; Cf. CIC., *Fin.*, III, 26 (éd. J. Martha, *CUF*, Paris 1930, p. 21).

en étant conforme à votre sagesse, ne répugne pas à une telle justice. **7.** En effet, selon votre position, le sage ne fait pas de conjecture[1], il ne croit rien, ne se trompe pas, sait tout par lui-même et ne souffre pas que quelque chose lui demeure caché ou ignoré, ne donne pas au créateur un plus grand pouvoir qu'à la créature, porte un jugement identique sur l'intelligence de Dieu et celle de l'homme, et maintient cette orientation de la discussion surtout contre les chrétiens. **8.** Voilà pourquoi cette argumentation, qui est la tienne, commence aussi par condamner d'abord et vouloir connaître après.

II. Comment le Christ est aussi Fils de Dieu

APOLLONIUS. **1.** La légèreté de votre croyance et la confession de foi que vous avez adoptée à l'encontre de la raison du monde entier et de la loi de la nature me contraignent à parler avec une ardeur accrue et à discuter fort rigoureusement. **2.** Cependant, si tu as confiance en ta capacité de répondre, explique-moi d'abord ce point de votre foi : comment voulez-vous que le Christ soit considéré comme Dieu et Fils de Dieu, alors qu'ensuite vous ne niez pas qu'il est également homme, bien que, certainement, il doive être dit soit Dieu soit homme, car il est clair à la compréhension de tous qu'il peut devenir l'un des deux, mais ne peut pas être en même temps l'un et l'autre.

ZACHÉE. **3.** Voilà bien le raffinement de vos arguties : vous détruisez ce que vous ne voulez pas qu'on croie, après en avoir d'abord admis une partie, et vous cédez sur des points restreints afin de ruiner la totalité[2]. **4.** C'est pourquoi, ce qui vous convient le mieux, c'est le silence,

2. Apollonius est accusé d'accepter un aspect du dogme christologique (divinité ou humanité) pour mieux en exclure la totalité, et réfuter par là même toutes les affirmations des chrétiens.

15 culpa non deferre quam laedere, uos nec credere deum uultis et loqui sine eius iniuria non potestis.

III. Non sine causa sit haec colluctatio

APOLL. PHILOS. **1.** At ego, horum tractatuum collationes semper prodesse dubitantibus credo, et quibusdam inquisitionum riuis ad ueritatis fontem ueniri expertus adfirmo,
5 ac propterea uniuersarum sectarum esse doctrinas ut audiendo intellegas quod ante nescieris. Facilius enim, si ratio suppetat, credi audita possunt quam inaudita cognosci[a]. **2.** Qua de re, si dignum est, speciatim pande proposita, ne in uacuum certantibus nobis, hi qui prae-
10 sentes sunt non sperato intellectu, sed fastidio compleantur.

ZAC. CHR. **3.** Dignum plane est caelestium consiliorum sacramenta cognosci, et tam simplex de Christi diuinitate atque elucens per se ueritas est, ut eam, licet digne nemo
15 eloqui possit, quiuis tamen facile intellegat, si uoluntatem exhibeat credituri. **4.** Qua in re etiam ego, qui sum Christianorum minimus, non reticerem, nisi per legem[b] talium altercationum occasiones uitare praeciperer. Vbi enim nullus profectus est, conflictus inhibetur. **5.** Vnde, si dis-
20 putare tantum et conuinci impune niteris non crediturus, Epicureos ac Platonicos caeteraque similium sectarum ostenta perquire. *Nos talem consuetudinem non habemus*[c].

15 nec : non P || credere : + in *a²gm* || 15-16 uultis deum *κ*
III, 1 non : ne V || 2 at *om.* *κ* || 3 credo *om.* CM *abhinc textus aut obliteratus est aut deest usque ad* ***IV***, *4 [l. 21* praeferre*] in* P || 4 uenire *β* || 5 doctrinam CM || 20 non : nos LT || 22 talem : tamen C

III. a. *Cf.* Rom. 10,14 b. *Cf.* II Tim. 2,14 ; 2,23 c. I Cor. 11,16

car, bien que ce soit une faute plus légère de ne pas dénoncer quelqu'un que de lui faire du tort, vous ne voulez pas croire en Dieu et vous ne pouvez pas parler sans lui faire injure.

III. Cette confrontation n'est pas sans raison

APOLLONIUS. **1.** Et moi, je crois que nos discussions et nos entretiens sont toujours utiles à ceux qui doutent, et j'affirme en homme avisé qu'on remonte à la source de la vérité comme en suivant les ruisseaux de la recherche, et que, de ce fait, les doctrines de toutes les sectes existent afin qu'en écoutant on comprenne ce qu'on a ignoré auparavant. En effet, on peut plus facilement, avec l'appui de la raison, croire ce qu'on a entendu qu'apprendre à connaître ce qu'on n'a pas entendu[a]. **2.** C'est pourquoi, si c'est possible, expose tes thèses point par point, de crainte que, si nous nous mesurons pour rien, ceux qui sont ici présents soient remplis non pas de la compréhension espérée, mais d'ennui.

ZACHÉE. **3.** Il est en tout cas possible d'apprendre à connaître les mystères des desseins célestes, et la vérité sur la divinité du Christ est si simple et claire par elle-même que, bien que personne ne puisse l'énoncer dignement, n'importe qui pourtant la comprend facilement, s'il montre la volonté d'un homme disposé à croire. **4.** En ce domaine, même moi, qui suis le dernier des chrétiens, je serais prêt à parler, s'il ne m'était pas prescrit par une loi[b] d'éviter les occasions de querelles de ce genre. En effet, là où on ne fait aucun progrès, le débat est interdit. **5.** C'est pourquoi, si tu t'efforces uniquement de discuter et d'obtenir une démonstration sans prendre de risques et en n'étant pas disposé à croire, va chercher les épicuriens, les platoniciens et les autres monstres de semblables sectes. «Ce n'est pas l'usage qui prévaut chez nous[c]».

IV. Si de Christo aliquid poetae dicant

APOLL. PHILOS. **1.** Omissa istaec facito, nequaquam a proposita condicione discedens, ut eum scilicet altera pars sequatur, qui hisdem audientibus in fine superauerit. **2.** Et 5 quia uere, ut ipse dicis, pro religione loqui nemo oneri iuste reputat, membratim uniuersa dicturus, de Christo primum euidentem pande rationem, ut, si deum uel dei Filium probare potueris, ceteris quae ab eodem gesta aut gerenda memorabis facilius adquiescam; nec me pigebit 10 libere credere quod dii non potuerint prohibere.

ZACH. CHR. **3.** Et ego, per ipsum credo, qui excitare sibi incolas etiam ex lapidibus potest[a], te a gentilitatis errore facile posse deduci, si eum cuius maiestatem uel conscius neglegis uel ignorans requiris, deposito falsae 15 sapientiae supercilio, confestim ubi rebus agnoueris corde non renuas. Ecce enim munitum Christi fide, loquentem dii tui audient, nec prohibebunt. **4.** Sed te miror formam totius scientiae praeferentem, an sit deus Christus uel dei Filius dubitanter inquirere, qui non nescias etiam ues-20 trorum auctorum uolumina testari eius diuinitatem et crucem, quam irridetis, praeferre. Ex quibus interim duorum exempla nunc proferam. **5.** Plato enim, quem doctissimum ac sapientissimum perhibetis, cum de reue-landa Christi maiestate loqueretur, his uerbis etiam signum

IV, 2 ista haec LT || 5 dicis : + ac uere *β* || 8 eodem : eo C || 9 memoratis LT C $a^{1\text{-}2}$*gm* || 11 qui : quia CM || 12 incolam CM || 18 proferentem L || 21 proferre *β edd.* praeferram P

IV. a. *Cf.* Matth. 3,9

IV. Si les poètes disent quelque chose du Christ

APOLLONIUS. **1.** Laisse cela de côté, en ne t'éloignant en aucun cas de la condition que je t'ai posée, qui veut qu'un parti suive celui d'entre nous qui, à la fin, l'aura emporté aux yeux des auditeurs qui sont là. **2.** Et parce qu'en vérité, comme tu le dis toi-même, personne n'estime, en toute justice, que c'est un fardeau de parler pour la défense de la religion, toi qui t'apprêtes à tout me dire point par point, fais-moi d'abord connaître une explication claire au sujet du Christ, afin que, si tu peux le prouver Dieu et Fils de Dieu, je donne plus facilement mon assentiment à tes autres déclarations concernant ce qu'il a fait ou va faire ; et je ne serai pas contrarié de croire librement ce à quoi les dieux n'auront pas pu s'opposer.

ZACHÉE. **3.** Et moi, je crois que, par celui qui peut, même à partir des pierres, se susciter des hommes qui demeurent en lui[a], tu peux être facilement détourné de l'erreur du paganisme, si, après avoir laissé tomber l'orgueil de la fausse sagesse, tu ne refuses pas dans ton cœur dès que tu l'auras reconnu par les faits celui dont ou bien tu méprises consciemment, ou bien tu recherches tout en l'ignorant encore la divine majesté. Voici que tes dieux écouteront quand il parle l'homme fortifié par la foi au Christ, et ne s'opposeront pas à lui. **4.** Mais je m'étonne que toi, qui mets en avant l'idéal du savoir tout entier, tu recherches en en doutant si le Christ est Dieu et Fils de Dieu, alors que tu n'ignores pas que même les œuvres de vos auteurs témoignent de sa divinité et mettent en exergue sa croix, dont vous vous moquez. Parmi ces derniers, j'en citerai maintenant, provisoirement, deux exemples. **5.** En effet, Platon, que vous garantissez le plus instruit et le plus sage, quand il parlait de la majesté divine du Christ qui allait être révélée, a même fait connaître son signe par les termes dans lesquels il

25 illius intimauit, futurum adstruens deum, cuius signum circumrotundatum et *decusatum* est. **6.** Sibyllae perinde praediuina, ut adseritis, carmina, proprietatem sancti nominis personarunt cum dignitate naturae. Haec eadem deum postea uno uersu crucemque signauit, quam uos multis
30 disputationibus refutatis, praedictum poema ita ponens:
Felix ille deus, ligno qui pendet ab alto.

7. Vide distantibus quidem uerbis expressam tamen utriusque confessionem. *Ille* futurum designat, quia manifestandum in homine sentiebat. **8.** Haec *felicem* uocat,
35 quia diuinam praeuidet in hominis fragilitate uirtutem et in eiusdem hominis morte uictoriam. **9.** Quos tamen non idcirco sequi conuenit quia his uelut per somnium ueram sapientiam loqui aliquando permissum est, neque ut gentilitas meruisse ex deo praescientiam uideretur, sed ut
40 deum Christum ac dei Filium etiam uestri loquerentur auctores, qui, cum pene in omnibus falsi sint, in hoc probabiliter errauerunt.

26 sybille T C sibillae L syllabae P || 27 adsentis κ || 28 personarint LT κ || 29 uerso T || 30 poema: poeta LT || 31 pendit κ || 32 disputantibus VLT || 34 haec: + eum κ || 35-36 diuinam – uictoriam: diuinum praeuidet in hominis morte uictoriam fragilitate uirtutem P || 37 sequi: consequi κ a^{1-2}*gm* || 39 praesentiam LT || 41 sint: sunt P + etiam V

1. *Timée* 38b (éd. J. Rivaud, *CUF*, Paris 1925, p. 149). Passage correspondant à *Timée* 24 dans la trad. de Cicéron (éd. R. Giomini, Leipzig 1975, p. 198): «Il coupa donc ensuite toute cette composition en deux dans le sens de la longueur et la disposa, pour ainsi dire en forme de χ (*quasi decusauit*), en ajustant une moitié sur l'autre.» Cf. W. Bousset, «Platons Weltseele und das Kreuz Christi», *ZNTW* 14 (1913), p. 273-285.

2. Cf. *Oracula Sibyllina*, VIII, 329 (éd. Geffcken, *GCS* 8, p. 163): Αὐτόν σου γίνωσκε θεὸν θεοῦ υἱὸν ἐόντα, «en lui connais ton Dieu, qui est le fils de Dieu» cité chez Lact., *Inst.*, IV, 6, 5 (*SC* 377, p. 64 s.).

parle d'un dieu futur, dont le signe est arrondi et «en forme de χ[1]». **6.** De même, les chants de la Sibylle qui sont divinatoires, comme vous dites, ont fait retentir l'identité de son saint nom avec la dignité de sa nature[2]. Cette même Sibylle en montra ensuite en un seul vers la divinité et la croix, que vous repoussez par vos multiples argumentations, en disant dans son poème :

«Heureux ce dieu qui est suspendu au bois élevé[3].»

7. Regarde : bien que ce soit en des termes différents, c'est pourtant l'expression de la confession et de Platon et de la Sibylle. Le mot «ce » le désigne comme futur, parce qu'elle sentait qu'il devait se manifester dans l'humanité. **8.** Elle l'appelle «heureux», parce qu'elle voit à l'avance sa puissance divine dans la faiblesse de l'homme ainsi que la victoire dans la mort de cet homme. **9.** Il ne faut pourtant pas suivre ces derniers parce qu'il leur a été quelquefois permis de dire la vraie sagesse comme à travers un songe, ni parce qu'il a été permis que le paganisme paraisse avoir obtenu de la part de Dieu une prescience, mais parce qu'il a été permis que même vos auteurs disent le Christ Dieu et Fils de Dieu[4], eux qui, alors qu'ils sont dans l'erreur en presque tout, se sont trompés de manière honorable sur ce point-là.

3. Cf. *Oracula Sibyllina,* VI, 26 (éd. Geffcken, p. 132) : ὦ ξύλον ὦ μακαριστόν, ἐφ' οὗ θεὸς ἐξετανύσθη. Le traducteur anonyme inverse le sens des mots grecs qui signifiaient : «Heureux bois auquel Dieu est suspendu.»

4. La traduction suivante tiendrait compte plus fidèlement de la grammaire de la phrase : «Il ne faut pourtant pas suivre ces derniers en considérant qu'il leur a été quelquefois permis... ni pour laisser l'impression que le paganisme avait obtenu..., mais pour que même vos auteurs disent le Christ Dieu...» Nous préférons toutefois sous-entendre *quia permissum est,* car, si l'on admettait que *ut...uestri loquerentur auctores* indique une cause finale, comment concevoir qu'un chrétien puisse suivre des auteurs païens *afin* qu'ils disent la vérité sur le Christ?

*V. Non solum de dictis poeticis <***>, sed etiam de praesentibus miraculis*

APOLL. PHILOS. **1.** Bene quidem utriusque dictorum ad tempus reminisceris, sed, quia probandi libertas est, praecedentem sententiam tuam pari liceat sermone cohibere : quod hi quorum auctoritas recipi in omnibus debet, in hoc forte humaniter errauerunt. **2.** Vnde si uere Christus deus uel dei Filius est, non ueterum tantummodo litteris, sed praesentibus doceri debet exemplis.

ZACH. CHR. **3.** Quam iniqua est gentilis persuasionis intentio ! Cum pro se adserit, suis utitur : cum reuincitur, nec suis credit. **4.** Non est tam inops fidei nostrae aut egena defensio ut in sui probatione externis tantum testimoniis innitatur, nec quod intra se est foris quaerit. **5.** Audi immundos daemoniorum spiritus, quae uestra sunt numina, sub huius uocabuli inuocatione conterritos, Christum deum et dei Filium non negare, ac uelut reos cum tormenta saeuiunt quaestionum, non quod placeat dicere, sed quod extorquetur fateri. Et, si credulitatem nostrae fidei derogatis, diis saltim uestris credite. Aut, si ulterius pudor non est, negent homines quod etiam daemones confitentur.

V, 4 libertas : liber C ‖ 5 licet B LT ‖ 8 deus *om.* κ ‖ est *om.* B ‖ 11 suis *om.* T ‖ 15 quae : qui L + in CP ‖ 19 credulitati *a*[1-2]*gm* ‖ 20 nostrae : + et *a*[1-2]*gm* ‖ diis *om.* L

V. <***> non seulement à partir des écrits des poètes, mais aussi des miracles actuels

APOLLONIUS. **1.** Tu fais certes bien de nous remettre en mémoire au bon moment les paroles de ces deux auteurs, mais, parce que la démonstration se fait en toute liberté, qu'il me soit permis de faire opposition à ta dernière phrase par une déclaration identique : ces auteurs, dont l'autorité doit être reçue en toutes choses, se sont peut-être humainement trompés sur ce point. **2.** C'est pourquoi, si le Christ est en vérité Dieu et Fils de Dieu, il faut l'enseigner non seulement au moyen de la littérature des anciens, mais aussi par des exemples actuels.

ZACHÉE. **3.** Qu'elle est injuste, cette méthode païenne d'argumentation! Quand elle parle pour elle-même, elle utilise les siens; quand elle est convaincue d'erreur, elle ne croit même plus aux siens. **4.** La défense de notre foi n'est pas indigente et pauvre au point de ne s'appuyer, dans la démonstration d'elle-même, que sur des témoignages externes, et, ce qui est à l'intérieur d'elle-même, elle ne le cherche pas à l'extérieur. **5.** Entends les esprits impurs des démons, qui sont vos puissances divines, terrifiés à l'invocation de son nom, qui ne nient pas que le Christ est Dieu et Fils de Dieu, et, comme les accusés quand les tourments des questions les font souffrir, qui avouent non pas ce qu'il leur plaît de dire, mais ce qu'on leur extorque. Et, si vous refusez la croyance à notre foi, croyez du moins à vos dieux[1]. Ou alors, si vous n'avez pas honte d'aller jusque-là, que des hommes nient ce que même les démons avouent.

1. Preuve par l'exorcisme où les démons qui prouvent, par leur obéissance à l'invocation du nom du Fils de Dieu, la divinité de ce dernier, sont les dieux des païens (cf. *Ps.* 95, 5, LXX).

VI. Vt quid ad rationem dandam de daemoniis dicatur

APOLL. PHILOS. **1.** Quid mihi uaria daemonum pro omni ratione commenta, et uolubilem incertorum spirituum pro
5 tota fide niteris obiectare sententiam? **2.** Si uobis haec sola probatio est, ad praedictorum auctoritatem honestius recurretis.

ZAC. CHR. **3.** Aequum esset uestrorum uos primum testimoniis credere, deinde inuitam daemonum confessionem
10 non leui aestimatione pensare, quia nisi inuisibilibus cruciatibus agerentur, libere utique pro se facilius dicerent quam semper contra se mentirentur. **4.** Sed cum in re omni inaestimabiles sint diuitiae dei, maxime in honore sui nominis approbando prouocandisque ad fidem homi-
15 nibus maiestas uera diffunditur. **5.** Vnde, si haec parua sunt, inaudita curationum remedia succedunt, et inenarrabilia dei etiam in mortuos porrecta beneficia. Iubente itaque Christo, caeci illuminantur, auditus redditur surdis, claudi ambulant, mundantur leprosi, mortui suscitantur.
20 **6.** Quae si ab eodem gesta non creditis, fieri ab hominibus in nomine eius aut facta cognoscite. **7.** Qui utique si dei Filius aut deus non esset, uel falso induisse hominem crederetur, nec inuocatus adsisteret, nec profutura indigentibus signa praestaret, quia aperte intellegi potest nec
25 deum adquiescere mendacio, nec homines per mendacium signa posse promereri.

VI, 16-17 inenarrabilis LT CP *a*[1] || 25 mendaciis BV || 26 signa *om.* P

---

1. Spontanément ils mentent toujours, comme les coupables (cf. I, 5, 5: *uelut reos*). Il faut que le nom du Christ les terrorise en leur rappelant le châtiment dont ils seront l'objet pour les obliger à dire la vérité. Par leur obéissance à l'exorcisme, ils reconnaissent ce qu'ils sont et la divinité de celui dont on prononce le nom, cf. TERT., *Apol.*, 23, 11-18, surtout 23, 12 (*CCSL* 1, p. 132-133); MIN. FEL. 27, 5-6; CYPR., *Donat.*, 5 (*CCSL* 3A, p. 6) et K. THRAEDE, art. «Exorzismus», *RAC* 7 (1969), col. 65-72.

VI. Raison pour laquelle il est question des démons dans l'explication à donner

APOLLONIUS. **1.** A quoi bon t'efforcer de m'avancer pour toute preuve les inventions diverses des démons et comme unique garantie les déclarations inconstantes de ces esprits auxquels on ne peut se fier? **2.** Si cela est votre unique démonstration, vous recourrez d'une manière plus honorable à l'autorité des auteurs dont tu as parlé plus haut.

ZACHÉE. **3.** Il serait juste pour vous de croire d'abord aux témoignages des vôtres, et ensuite d'examiner, dans un jugement qui ne la prend pas à la légère, la confession que font les démons quand ils parlent contre leur gré, car s'ils n'étaient pas contraints par des tourments invisibles, en étant libres, ils parleraient de toute façon plus facilement dans leur propre intérêt plutôt que de mentir toujours à l'encontre de leur propre intérêt[1]. **4.** Mais puisqu'en toutes choses les richesses de Dieu sont inestimables, la vraie majesté divine se répand surtout en prouvant l'honneur de son nom et en poussant les hommes à la foi. **5.** C'est pourquoi, si ces faits sont de peu d'importance, viennent ensuite des guérisons et des traitements inouïs, et les bienfaits ineffables de Dieu étendus même jusqu'aux morts. Ainsi donc, sur l'ordre du Christ, les aveugles retrouvent la vue, l'ouïe est rendue aux sourds, les boiteux marchent, les lépreux sont purifiés, les morts sont ressuscités. **6.** Et si vous ne croyez pas qu'il a accompli cela, apprenez que cela se fait ou l'a été par des hommes en son nom. **7.** De toute façon, s'il n'était pas Fils de Dieu et Dieu, ou si on croyait faussement qu'il a revêtu l'humanité, il n'offrirait pas son assistance après avoir été invoqué, ni n'opérerait des signes utiles à ceux qui en ont besoin, parce qu'on peut clairement comprendre que Dieu ne s'accorde pas avec le mensonge, et que les hommes ne peuvent pas obtenir des signes par l'intermédiaire d'un mensonge.

VII. Quae necessitas deo fuit descendendi ad terras?

APOLL. PHILOS. **1.** Viderentur haec a fide non abesse quae loqueris, si credulitatem sequentia mererentur. Nam, 5 ut alia interim taceam, ueniendi ad terras deo quae ratio aut necessitas fuit?

ZAC. CHR. **2.** Deum quidem necessitas nulla complectitur, quia semper liber et nulli est obnoxius passioni. Ipsi per semet subiecta sunt omnia, nec cuiquam ipse 10 subiectus est. **3.** Verumtamen absoluta est eius et certa sententia : *Nisi credideritis, nec intellegetis*[a]. **4.** Proinde, si animum in tenebris oberrantem ad superni intellectus lumen erexeris, ut deum quaecumque uelit credas et posse, ueniendi eidem ad terras, immo quia ubique semper 15 est, in homine ut uisibiliter appareret, necessitatem quidem, quantum in ipso est, non deprehendes, sed cum ratione fuisse intelleges uoluntatem.

*VIII. Si necessitas deo non fuit, <***> docere uoluntatem*

APOLL. PHILOS. **1.** Sicut ea quae uelit deum posse ambigi non potest, ita eum nolle contraria ac se indigna pers- 5 picuum. Atque ideo si necessitas non fuit, cum ratione edoce uoluntatem.

ZACH. CHR. **2.** Hoc primum menti tuae trade : quae-

VII, 4 merentur T || 11 nec : non *β* *edd.* || intelligitis V || proinde : + est V || 14 quia : qui *κ* || 15 ut *om.* *β* || apparere *β*

VIII, 1-2 si – uoluntatem *om.* V *κ* || 6 doce *κ* || 7 trade : + quia B[sec.m.]

VII. a. Is. 7,9

---

1. *Si uoluit...et potuit,* principe appliqué à l'Incarnation par TERT., *Carn.*, 3, 1 (*SC* 216, p. 216 s.).

VII. Quelle nécessité a amené Dieu à descendre sur terre?

APOLLONIUS. **1.** Tes propos ne sembleraient pas indignes de foi, si ce qui s'ensuit méritait croyance. Car, en admettant que, provisoirement, je passe le reste sous silence, quel plan rationnel ou quelle nécessité ont amené Dieu à venir sur terre?

ZACHÉE. **2.** A n'en pas douter, aucune nécessité n'enserre Dieu, car il est toujours libre et n'est sujet à aucune passion. A lui, toutes choses, par elles-mêmes, sont soumises, et lui-même n'est soumis à personne. **3.** Cependant, elle est simple et sûre, sa parole qui dit : « Si vous ne croyez pas d'abord, vous ne comprendrez pas[a]. » **4.** C'est pourquoi, si tu élèves ton âme errant dans les ténèbres jusqu'à la lumière d'une connaissance supérieure, en allant jusqu'à croire que Dieu peut aussi tout ce qu'il veut[1], tu ne lui trouveras sans doute, pour autant que cela dépend de lui-même, aucune nécessité de venir sur terre, et à plus forte raison, parce qu'il est toujours partout, d'y venir pour apparaître visiblement dans l'humanité, mais tu comprendras que cela fut sa volonté fondée dans son plan.

*VIII. Si Dieu n'a eu aucune nécessité de venir, <***> explication de sa volonté*

APOLLONIUS. **1.** On ne peut pas douter que Dieu puisse ce qu'il veut, et de même, il est clair qu'il ne veut pas ce qui lui est contraire et indigne de lui[2]. C'est pourquoi, s'il n'a eu aucune nécessité, enseigne-moi quelle est cette volonté fondée dans son plan.

ZACHÉE. **2.** Confie tout d'abord ceci à ton esprit : tout

2. L'indignité que représenterait pour Dieu le passage par une naissance humaine est un problème discuté dans TERT., *Carn.*, IV, 3-7 (*SC* 216, p. 222 s.); V, 1 (*SC* 216, p. 226 s.); cf. *Marc.*, II, 27, 1 (*SC* 368, p. 158 s.); II, 27, 6 (*SC* 368, p. 164 s.).

cumque idem inter homines deus ostendit, suscepit ac pertulit, causa est uel seruandi humani generis uel reparandi. **3.** In quo ita beneficia sua, quae a principio dederat, semper dilexit, ut plus ueniae largiretur indultis quam ultionibus mali pensaret. **4.** Propter hominem uolumina scripturis referta et exemplis praeteritorum, et adhortatione praesentium, futurorum praeterea spe metuque completa sunt, ut, si ad agnitionem creatoris et cultum, quae est summa iustitiae, non illicerent promissa fidelia, denuntiati examinis formido constringeret. **5.** Cum haec igitur constituta parum proficerent per prophetas, praesentiam sui saluator indulsit ut salutis nostrae opus integrum cum praedicatione uirtus impleret, nec semper a solo homine castigatio uenire putaretur, cum in Christo et doctrina actibus et signis diuinitas eluceret, nosque ad imitationem iustitiae ac sanctitatis non ui cogeret, sed mirabilibus inuitaret. **6.** Itaque opus tantae dignationis acturus, quemadmodum debuit ad terrena descendere, nisi ut illum in suo fragilis hominis materia sustineret, quem erat uisura praesentem, docentem auditura, imitatura operantem?

IX. Quare corruptibilem hominem deus suscepit?

APOLL. PHILOS. **1.** Esto ueniendi ad terras probabilis cum uoluntate ratio uideatur, quoniam pro hominis miseratione deus uenisse perhibetur. **2.** Numquidnam ei impossibile

11 quam : + pro CP a^1 || 12 pensaret *om.* β || 13 scripturae *edd.* || et[1] *om.* CP || 15 quae : qui κ || 21 doctrina : + et V a^2*gm* *mo* || 26 hominum LT CP $a^{1\text{-}2}$*gm*
IX, 3 ratio uoluntate B

---

1. Cf. LACT., *Inst.*, VI, 9, 24 (*CSEL* 19-2, p. 513-514) : *Ergo in dei agnitione et cultu rerum summa uersatur.*

ce que Dieu a montré, assumé et supporté parmi les hommes s'est produit pour préserver et restaurer le genre humain. **3.** Et en cela, il s'est constamment attaché aux bienfaits qu'il avait donnés dès le début, à tel point qu'il a accordé, par ses bontés, plus de pardon qu'il n'a compensé le mal par des châtiments. **4.** C'est pour l'homme que des rouleaux couverts d'Écritures ont été remplis d'exemples du passé, d'exhortations pour la vie présente, et, en plus, d'espérance et de crainte du futur, afin que, au cas où les promesses véridiques n'amèneraient pas à la connaissance et au culte du créateur, ce qui est le sommet de la justice[1], ce soit la crainte du jugement annoncé qui y contraigne. **5.** Comme donc ces mesures avaient eu trop peu de succès par l'intermédiaire des prophètes, le Sauveur fit don de sa propre personne afin que sa puissance accomplît l'œuvre intégrale de notre salut par la proclamation de sa parole, et qu'on ne pensât pas que c'était seulement d'un homme que la réprimande venait, puisque, dans le Christ, la doctrine se manifestait par des actes et la divinité par des signes, et que cette dernière ne nous forçait pas par la violence à l'imitation de la justice et de la sainteté, mais nous y invitait par des merveilles. **6.** Ainsi donc, pour accomplir cette œuvre nous faisant don d'une telle faveur, comment aurait-il dû descendre vers les réalités terrestres, sinon en faisant en sorte que la fragile matière de l'humanité le reçoive en elle-même, pour le voir présent, l'entendre dans son enseignement, l'imiter dans son action?

IX. Pourquoi Dieu a-t-il assumé une humanité corruptible?

APOLLONIUS. **1.** Je veux bien que son plan fondé en sa volonté de venir sur terre semble vraisemblable, puisque tu dis que Dieu est venu par compassion pour l'homme. **2.** Mais lui aurait-il été impossible de produire, à partir

5 fuit ex quacumque sublimiore materia incorruptibile corpus efficere, quo adsumpto ita homini opem ferret, ne corruptibili homine grauaretur?

ZACH. CHR. **3.** Omnia deus ex uoluntate sua faciens, nihil quod sibi graue sit uelut coactus adsumit, sed, sicut 10 falli non potest, ita ipse non fallit. **4.** Verum ergo ab eo fieri, non simulatum decebat, nec praestigiorum more phantasiam pro homine monstrari, sed ut hoc esset quod esse uellet uideri. **5.** Itaque in homine uero pro omnium salute uenturus et nasci debuit et per ordinem uitae aetatis 15 incrementa suscipere, ut simul et ea doceret quae facere homo possit, nec fieri praeciperet quod non prius ipse per hominem adsumptum fecisset.

X. *Quare deus ex femina nascatur*

APOLL. PHILOS. **1.** Fiat, si libet, certandi ex hac quoque parte compendium. Nonne hoc saltim indignum fuit intra uterum feminae coalescere, aut credibile potest esse nas- 5 citurum sine semine fuisse conceptum?

ZACH. CHR. **2.** Dixi dudum : intellectus fidem sequitur, nec nisi per fidem quae a se altiora sunt et deo proxima humana mens percipit. **3.** Si enim ex non subsistenti materia uel ex quacumque, ut paulo ante dixisti, deus 10 cum uellet et facere hominem potuit, nempe facilius de

5 sublimiori C || 6 ita *om.* BV || nec BLT C || 6-7 corruptibile C -ruptili P || 9 adsumpsit P || 12 ut *exp.* B *om.* V || esse BV || 13 uelit *β* P || atque B || omnium : hominum B

X, 2 si *om.* *κ* || 3 parte *om.* C || saltem *a^2gm mo* || 4 esse : ecce V eum *a^{1-2}gm* || 7 a *om.* C *a^{1-2}gm* || 8 perspicit *κ* || 8-9 ex – materia *om.* *β* || 9 uel *om.* B || quacumque : + sublimiore materia B || 10 et : posset B

1. La possible incarnation dans un corps astral est une objection gnostique rapportée dans TERT., *Carn.*, 6, 3 (*SC* 216, p. 234 s.).

de quelque matière plus subtile, un corps incorruptible[1], afin qu'après l'avoir assumé, il porte secours à l'homme sans être accablé par une humanité corruptible?

ZACHÉE. **3.** Dieu, qui fait tout de par sa propre volonté, n'assume rien qui lui serait pénible comme s'il y était contraint, mais, de même qu'il ne peut être trompé, il ne trompe pas lui-même. **4.** Il convenait donc que fût fait par lui du vrai et non du faux-semblant, et qu'il n'exhibe pas, par manière d'imposture, une illusion à la place d'un homme, mais qu'existe réellement ce qu'il voulait qu'on voie exister[2]. **5.** C'est pourquoi, celui qui allait venir pour le salut de tous dans une humanité véritable a dû aussi naître et accepter une croissance de son âge au cours de sa vie, afin que, tout ensemble, il enseigne ce que l'homme peut faire et n'ordonne pas qu'on fasse ce que lui-même n'aurait pas fait auparavant à travers l'humanité qu'il avait assumée.

X. Pourquoi Dieu naît d'une femme

APOLLONIUS. **1.** Si tu es d'accord, faisons sur ce point aussi l'économie d'une dispute. N'a-t-il pas été du moins indigne de lui qu'il grandisse dans le sein d'une femme? Et peut-on croire que, pour naître, il a été conçu sans semence?

ZACHÉE. **2.** Je l'ai dit tout à l'heure : l'intelligence vient après la foi, et sans la foi, l'esprit humain ne perçoit pas ce qui est plus élevé que lui et le plus proche de Dieu. **3.** En effet, si à partir d'une matière qui n'a pas d'existence ou de je ne sais quelle matière, comme tu l'as dit il y a quelques instants, Dieu, quand il le voulait, a pu faire l'homme, n'était-ce pas plus facile encore à partir

2. Cf. TERT., *Carn.*, 3, 1 (*SC* 216, p. 216 s.) : « Ce qu'il n'aurait pas voulu être, il n'aurait pas non plus voulu en avoir la moindre apparence. »

subsistenti et sua, ut nihil non uerum, et mirum magis esset quod et morem natiuitatis implesset et permixtionem seminis non haberet? Vel quod animal aut elementum deo carius quam homo est? **4.** Quae tantae formationi
15 materia quam sanctae uirginis aptior, intra quam Spiritus dei, electo purissimorum uiscerum flore, corpus effecit, in quo Filius dei inter homines conuersatus habitauit? **5.** Quod ne incredibile uideatur per Spiritum dei fieri potuisse, intuere quid mundi spiritus possit, qui utique
20 non deus, sed unus ex operibus dei est; quam facile dissolutam naturaliter humum rigore constringat, aquas uertat in glaciem, ex hisdem ita et niuem gignens, quae pondus leuitate, colorem candore commutet[a]; idem et crystalla flatibus duret, naturae suae non receptura mollitiem, et
25 post haec deo impossibile fuisse crede quod esse possibile intellegis creaturae!

XI. Quomodo fragilitatem humanam euasit ex uirgine natus?

APOLL. PHILOS. **1.** Etiamne uirginem peperisse testamini? Creatio enim, sicut adseris, de incorruptibili deo, sed ex
5 materia corruptibili effecta, quo pacto modum propriae fragilitatis excessit?

11 et[1] *om.* κ a^1 || ut : + et κ || 16 efficit CP || 21 constringit... uertit P || 22 ex : et LT || ita *om.* β *edd.* || gignens : gignat B || 23 et *om.* β *edd.* || cristallina V || 24 receptura : + suam P a^1 || 25 impossibile : possibile L || credis κ
XI, 4 adseris : + non L a^2gm

X. a. *Cf.* Sir. 43,18-22

1. *Spiritus mundi.* Il serait possible de traduire ici par « esprit du monde », et d'y voir, compte tenu du revêtement philosophique du dia-

d'une matière existante et qui lui appartienne, si bien qu'il n'y a rien eu là qui ne soit pas vrai, et qu'il serait plutôt admirable qu'il ait satisfait à l'usage de la naissance sans recourir à un mélange de semences? Car quel être vivant et quel élément est plus cher à Dieu que l'homme? **4.** Quelle matière est plus apte à une si grande création que celle d'une vierge sainte, à l'intérieur de laquelle l'Esprit de Dieu, ayant choisi la fleur de très pures entrailles, a produit un corps dans lequel le Fils de Dieu a habité durant sa vie parmi les hommes? **5.** Pour qu'il ne te semble pas incroyable que cela ait pu se produire grâce à l'Esprit de Dieu, considère ce dont est capable le souffle du vent dans le monde[1], lui qui en tout cas n'est pas Dieu, mais une des œuvres de Dieu; vois avec quelle facilité il resserre par le gel la terre qui s'émiette naturellement, il change les eaux en glace, en produisant aussi à partir d'elles la neige, dans laquelle le poids se transforme en légèreté, la couleur en blancheur[a], comment il endurcit aussi par les vents les cristaux qui ne recevront pas la souplesse de sa propre nature, et après cela, crois qu'a été impossible à Dieu ce que tu comprends être possible à la créature!

XI. Comment celui qui est né d'une vierge a-t-il échappé à la faiblesse humaine?

APOLLONIUS. **1.** N'attestez-vous pas encore qu'une vierge l'a engendré? Comment se peut-il, comme tu le dis, que cette création, dont l'origine est un dieu incorruptible, mais qui fut faite à partir d'une matière corruptible, ait excédé les limites de sa propre faiblesse?

logue, une allusion au *Pneuma* cosmique des Stoïciens. L'auteur aurait alors utilisé cette expression, dans un jeu de mots avec *Spiritus dei*, pour désigner les activités des vents soumis à Dieu dont parle *Sir*. 43, 18-22.

ZACH. CHR. **2.** O mundi sapientia, diuinum in tua persuasione nihil sentiens! Dei opere fieri intra hominem omnium audis salutem, et, cum sine turbatione corporis
10 conceptum intellegas, absque eius dissolutione prodisse non credis. **3.** Vbi est ergo beneficium aut potentia dei, si humanae fragilitati sacra coniunctio nomen tantum communicat, non honorem? **4.** Tu Christum ex hoc uel maxime deum esse non credis, quia contra consuetudinem
15 humanae natiuitatis natus praedicatur ex uirgine. At ego, hinc eum magis transisse in dei gloriam credo, quod conditioni nostrae etiam secundum hominem in aliquo dissimilis, et nascendi ordinem decenter impleuit, et materni corporis integritatem nascentis necessitate non
20 soluit. **5.** Dubium ergo non est, cum sit creatio de Spiritu incorruptibilis dei, incorruptibilem etiam editionem fuisse, et quod erat fragile hominis diuinitatis potius uirtute seruatum, quam id quod erat dei, fragilitate hominis imminutum.

XII. Quomodo per aetates diuersas deus creuerit

APOLL. PHILOS. **1.** Pone ut ita se Christi diuinitas et natiuitas habeat, quia propter deum, quem rationi semper immisces, etiam uirginem parere potuisse iudicandum est :
5 quid momenti fuit infantem in cunis uagisse, deinde in puerili ignorantia remoratum, aut lubricum adolescentiae

7 tua : sua *κ* || 9 omnium : hominum B || saluatorem B || 11-13 ubi – honorem *om.* C || 13 uel *om.* *β* || 17 condicioni T || 18 ordinem : hominem P || 20 soluit dubium ergo : uiolauit non solum ergo dubium V || 22 erat *om.* B || 23 id : hoc B

XII, 2-3 et natiuitas *om.* P || 3 quem : quam *κ* || 5 in cunis *om.* BV

1. *Lubricum adolescentiae tempus* : cf. CIC., *Cael.*, 41 ; SEN., *Contr.*, 2, 6, 4 ; AMBR., *Obt. Valent.*, 46 ; HIER., *Ep. 7, 4, 1.*

ZACHÉE. **2.** O sagesse du monde, qui, dans ta conviction, ne saisis rien de divin! Tu entends dire que par l'œuvre de Dieu le salut de tous est opéré dans l'humanité, mais, bien que tu comprennes qu'il a été conçu sans un trouble pour le corps de sa mère, tu ne crois pas qu'il est venu au monde sans dégradation de ce corps. **3.** Où alors y a-t-il place pour un bienfait opéré par la puissance de Dieu, si son union sacrée à la faiblesse humaine ne procure à cette dernière qu'une fausse renommée, et non un honneur? **4.** Toi, tu ne crois pas que le Christ est Dieu du fait surtout qu'on le dit né d'une vierge à l'encontre de la règle habituelle d'une naissance humaine. Mais moi, je crois que c'est surtout à cause de cela qu'il est passé à la gloire de Dieu, car, même en étant, dans son humanité, différent sous un certain aspect par rapport à notre condition, il a aussi satisfait comme il convenait à la loi de la naissance tout en ne supprimant pas l'intégrité du corps de sa mère par la nécessité de sa naissance. **5.** Il ne fait donc aucun doute, puisqu'il est une création de l'Esprit du Dieu incorruptible, que son enfantement a aussi été incorruptible, et que la faiblesse qui relevait de son l'humanité y a été plutôt préservée par la puissance de la divinité, que ce qui relevait de Dieu n'a été amoindri par la faiblesse de l'humanité.

XII. Comment, étant Dieu, il a grandi à travers les différents âges humains

APOLLONIUS. **1.** Admets qu'il en aille ainsi de la divinité et de la naissance du Christ, puisqu'il faut estimer qu'à cause de Dieu, que tu mêles toujours à la raison, même une vierge a pu enfanter : mais quelle importance cela a-t-il eu que, tout petit, il ait crié dans son berceau, qu'il se soit ensuite attardé dans l'ignorance enfantine, et qu'il n'ait pas passé au-dessus du temps instable de l'adolescence[1] en vivant des années plus mûres, dans lesquelles

tempus annis non transisse maioribus, ubi possibilitate diuina statim a firmitate uirili quae erat gesturus inciperet?

ZACH. CHR. **2.** Ex hoc tibi uitae ipsius ratio, adiuncta
10 diuinitatis uoluntate, respondit, ut qui conualescentis uteri moras tulerat tempora seruaret aetatis, nec dedignaretur ut homo uiuere, qui dignatus fuerat ita nasci. **3.** Quando enim uerum induisse hominem crederetur, si hos uitae gradus transcucurisset? **4.** Sed forte spernere aliquid de
15 homine debuit, qui ad edocendam humilitatem et patientiam ueniebat? **5.** Quanto modestius in se deum et hominem probans et mira praetulit, et infirma non respuit. **6.** Inde in maerore doluisse[a], dormisse in lassitudine[b], in inedia esum desiderasse[c], fleuisse in luctu[d] et gemuisse
20 in morte[e] perscribitur, ut, cum deum uerum quae superius comprehensa sunt sublimia opera demonstrarent, uerum hominem flebilia loquerentur, cum et quae nobis sunt propria suscipiendo pertulerit, et quae soli deo possibilia, uerbo, cum uoluerit, effecta praestiterit.

XIII. De uirtutibus Christi

APOLL. PHILOS. **1.** Memini dudum et curationum uarietates et mortuorum suscitationes fuisse prolatas. In quibus tamen specialem Christi admirationem fuisse non uideo,
5 siquidem cum et peritiores magi mortuos suscitent, et medici uniuersis debilitatibus remedia largiantur.

7 ubi : uti B[sec.m.] ut LT *κ* *a*[1-2]*gm* || 10 respondit : *om.* BV + suffecerit *sup. l.* B || ut : et CP || 11 tolerat V tolerauerat B || 12 fuerat : est V || 13 si : nisi CP *a*[1] || 14 transcurisset B LT *mo* || 14-15 de homine *om.* P || 17 pertulit P *a*[1] || 22 sunt *om.* C || 24 cum : quae *κ*
XIII, 5 et peritiores : experitiores C

XII. a. *Cf.* Matth. 26,37 b. *Cf.* Lc 8,23 c. *Cf.* Matth. 4,2; Mc 2,25; Lc 4,2 d. *Cf.* Jn 11,35 e. *Cf.* Matth. 27,50; Mc 15,37; Lc 23,46

il aurait pu, du fait de la puissance divine, commencer tout de suite son œuvre dès la force de l'âge viril?

ZACHÉE. **2.** Le cours de la vie elle-même, auquel s'est jointe la volonté de Dieu, t'a répondu que cela est dû au fait que celui qui avait supporté les lenteurs de la croissance dans le sein d'une femme a respecté les âges de l'existence, et n'a pas dédaigné de vivre comme un homme, lui qui avait daigné naître dans cette condition. **3.** Comment donc pourrait-on croire qu'il a revêtu une humanité véritable, s'il avait survolé les étapes de notre vie? **4.** Mais peut-être aurait-il dû mépriser quelque chose de l'humanité, lui qui venait pour enseigner l'humilité et la patience? **5.** Combien plus sagement, prouvant en lui-même sa divinité et son humanité, il accomplit des merveilles et ne méprisa pas les faiblesses. **6.** C'est pourquoi, il est écrit qu'il a été affligé dans la tristesse[a], qu'il a dormi dans la fatigue[b], que, dans la faim, il a désiré la nourriture[c], qu'il a pleuré dans le deuil[d] et gémi dans la mort[e], pour que, face aux œuvres sublimes dont j'ai parlé plus haut qui le démontraient vrai Dieu, l'affliction le déclarât vrai homme, puisque ce qui nous est propre, il l'a pris sur lui, en l'assumant, et, ce qui est possible à Dieu seul, il l'a montré, quand il l'a voulu, réalisé par sa parole.

XIII. Les œuvres de la puissance du Christ

APOLLONIUS. **1.** Je me souviens que tu as cité tout à l'heure différentes sortes de guérisons et des résurrections de morts. Pourtant, je ne vois pas que cela mérite une admiration particulière pour le Christ, car des magiciens assez habiles ressuscitent les morts, et les médecins donnent des remèdes pour toutes les maladies.

ZACH. CHR. **2.** Nec me praeterit magicis carminibus non mortuorum, sed daemonum spiritus euocari, eosdemque per phantasiam paulisper simulare quod non sunt; condi-
10 cionem praeterea adicere falsitati ut aut non uisi respondeant, aut, si uidentur, obticeant, ut imprudentium uota debilia uana umbrarum illudat effigies. **3.** Defunctorum autem animae, resolutis corporibus, ad sedes debitas perducuntur, ac pro meritis usque ad futuri iudicii diem uel
15 in locis beatorum morantur et subiectae magorum inuocationibus non sunt, aut quibusdam clausae carceribus uenire ad superna prohibentur. **4.** Ita fit ut hisdem uenire uel dedignantibus, uel retentis, eorum similitudinem daemones fingant, ut et fallaciae, quam diligunt, semper
20 intersint, et credentes talibus ueri imitatione frustrentur. **5.** Medicorum uero medelae multis herbarum confectionibus nec statim nec omnibus prosunt. Et si quando altior aegris morbus inoleuerit, aut igni uiscera exusta torrentur, aut ferro pernicies occulta resecatur. Nihil in remedium
25 imperio agitur, nihil solo sermone perficitur. **6.** Et certe fateri omnes possumus derogare medicinam ex eo quod sit in homine posse, addere non posse quod non sit. Quae Christi operum contra reputatio est. **7.** Caecus materias luminum ab initio non habens et uacua ocu-
30 lorum loca praebens, limo illitus, quemadmodum erat

9 conditionem BV L C *edd.* || 10 adicere : addere κ || 11 aut *om.* LT || obtineant B || imprudentum κ || 12 uana : una P *om.* a^2gm || 18 eorum : earum a^1 || 19 et ut L || quam : quas L quod κ || 21-22 confessionibus LT || 23 exausta P exhausta CM || 26 medicinae CP

ZACHÉE. **2.** Je n'ignore pas que, par les incantations magiques, ce ne sont pas les esprits des morts, mais ceux des démons qui sont évoqués, et que ces derniers simulent pendant un instant par des illusions ce qu'ils ne sont pas ; qu'ils ajoutent en outre à leur fausseté une disposition suivant laquelle ou bien ils répondent en n'étant pas vus, ou bien ils se taisent si on les voit, afin qu'une vaine image d'ombres se joue des vœux débiles des insensés. **3.** Les âmes des défunts, en revanche, séparées de leurs corps, sont conduites vers les séjours qui leur sont dus, et en fonction de leurs mérites, soit elles demeurent jusqu'au jour du jugement futur dans les lieux réservés aux bienheureux et ne sont pas soumises aux invocations des magiciens, soit elles sont enfermées dans des espèces de prisons où il leur est interdit d'aller vers ce qui est plus élevé. **4.** C'est ainsi qu'il arrive, puisque ces âmes dédaignent de venir ou en sont empêchées, que les démons reproduisent leur image afin de toujours participer à la tromperie qu'ils affectionnent, et de duper par l'imitation de la vérité ceux qui croient de telles histoires. **5.** Quant aux remèdes des médecins, avec leurs multiples préparations à base d'herbes, ils ne sont efficaces ni tout de suite ni pour tous. Et si, quelquefois, une maladie plus grave s'implante dans les malades, ou bien on brûle par le feu les entrailles desséchées, ou bien, par le fer, on retranche un mal caché. Rien n'est fait, en guise de remède, au moyen d'un ordre, rien n'est réalisé par la seule parole. **6.** Et nous pouvons certainement tous reconnaître que la médecine peut retrancher quelque chose de ce qui se trouve dans l'homme, mais ne peut pas ajouter ce qui n'est pas en lui. Or c'est cela, au contraire, que l'on met au compte des œuvres du Christ. **7.** L'aveugle qui, dès le début, n'a pas les éléments nécessaires à la vue et qui présente stériles les emplacements de ses yeux, une fois enduit de boue, de

primum homo factus, uisum recepit[a]. Gressum nesciens iubetur incedere[b]. Solutus in muliere uenarum sanguis dicto sistitur[c]. Imperio auris solidatur abscisa[d]. Nec medicamine fugit lepra, sed uerbo[e]. **8.** Huc tabefactum e
35 sepulcris cadauer et prodire iubetur[f] et uiuere. Nec subitam praesentiam cernentibus praestat, sed cunctis hominum actibus interest[g], atque annos uicturus exultat. **9.** Quis praeter deum quinque panibus tantum plura hominum milia pascere ita potuit ut saturaret[h]? **10.** Quis mare
40 pedibus ingredi et immensum ambulando libere calcauit elementum ut famulantibus uiae fluctibus figeret firma uestigia[i]? **11.** Quis uentis iubere, et saeuientes in tempestatem procellas sermone compescere[j]? **12.** Quis de aqua uinum facere, et ex eadem in eadem natura, sine
45 intellectu demutationis, melioris speciei praestare profectum[k]? **13.** Quae Christus in homine agens ut se et deum probaret, multis uidentibus fecit. **14.** Itaque si echo loquenti, aut fontibus spuma, uel uero lumini umbra coaequanda est, non indigna comparatione iunguntur opera
50 hominum uirtutibus dei : cum hic haec tantum remediorum mora sit, ut prodesse iubeantur, illic praestita per laborem prius pene, quam sentiantur, euanescant.

31 homo *om.* L || recipit *mo* || 33 dictu V || medicamina VLT P || 34 uerba V LT P || huc : ac B || e : est P *om. β edd.* || 38 praeter : propter C || plurima P *a*[1] || 40 ingredi et : ingreditur P || 42 iuberet L P || 43 compesceret L || 44 faceret L || in eamdem natura *a* [1-2]*gm* in eandem naturam LT P || 48 aequanda V || 49 non : + in C

XIII. a. *Cf.* Jn 9,6-7 b. *Cf.* Matth. 9,6-7; Mc 2,11-12 c. *Cf.* Matth. 9,20-22; Mc 5,29; Lc 8,44 d. *Cf.* Lc 22,51 e. *Cf.* Matth. 8,3; Mc 1,41 f. *Cf.* Jn 11,43 g. *Cf.* Jn 12,2 h. *Cf.* Matth. 15,37; Mc 8,8; Lc 9,17 i. *Cf.* Matth. 14,26; Mc 6,48-49; Jn 6,19 j. *Cf.* Matth. 8,26; Mc 4,39; Lc 8,24 k. *Cf.* Jn 2,9

la même manière que l'homme fut créé au commencement[a], reçoit la vue. Celui qui ne sait pas marcher reçoit l'ordre de s'avancer[b]. Dans le cas d'une femme, un flux de sang venant de ses veines est arrêté sur une parole[c]. Sur un ordre, une oreille coupée est reconstituée[d]. La lèpre ne fuit pas au moyen d'un médicament, mais sur un mot[e]. **8.** Un cadavre en putréfaction reçoit l'ordre de sortir hors de son tombeau dans notre monde[f] et d'y vivre. Il n'offre pas à ceux qui le voient une présence momentanée, mais participe tout le temps aux actions des hommes[g], et il jubile en s'apprêtant à vivre pendant des années. **9.** Qui, à l'exception de Dieu, aurait pu nourrir à satiété plusieurs milliers d'hommes avec cinq pains seulement[h]? **10.** Qui aurait pu, à pied, marcher sur la mer et fouler cet élément immense en s'y promenant en toute liberté au point de poser fermement la plante de ses pieds sur les flots qui lui servaient de chemin[i]? **11.** Qui aurait pu commander aux vents, et apaiser par la parole les orages sévissant dans un ouragan[j]? **12.** Qui aurait pu, à partir de l'eau, faire du vin, et offrir, à partir de cette même eau demeurant dans la même nature, sans que l'on remarque une modification, ce produit amélioré de qualité supérieure[k]? **13.** Le Christ, en opérant cela dans l'humanité afin de se prouver également Dieu, l'a fait aux yeux de beaucoup[1]. **14.** Ainsi donc, si l'on peut comparer l'homme qui parle et son écho, l'écume et l'eau des sources, ou l'ombre et la lumière, ce n'est pas faire une comparaison indigne que d'associer les œuvres des hommes aux puissances de Dieu : car, dans son cas, il faut seulement le temps d'ordonner aux remèdes d'être efficaces, mais dans le cas de l'homme, les remèdes laborieusement produits perdent leur force presque avant qu'on en sente les effets.

1. On comparera cette énumération de miracles à TERT., *Apol.*, 21, 17 (*CUF*, Paris 1961², p. 51).

XIV. Si Christus alios suscitauit, quomodo morte non caruit?

APOLL. PHILOS. **1.** Si praedicta miracula, ut credi studes, manens in homine deus praestitit, numquid suscipere et
5 pati crucem uoluit? Aut quam ob causam erepturus a morte alios morte non caruit? Vel quemadmodum aliis proderit qui sibi prodesse non potuit? **2.** Cum in hoc magis fidem de se ambigentibus munire debuerit, liberaturum et alios fore, qui hoc primum in sua liberatione
10 monstrasset. Qua in re aut rationem prodi necesse est, aut credulitatem non exigi satis iustum.

ZACH. CHR. **3.** Etiam in hoc aestimatio tua fallitur, ut in crucis adfixione diuinitatem credas iniuriam pertulisse, quae incomprehensibilis et libera nec pati potuit, nec
15 teneri. Sed quendam de diabolo per adsumptum hominem egit triumphum, cum in ligno uictoriam carnis imponens, eum sine sui iniuria per hominem superauit, qui hominem cum dei iniuria egerat in delictum. **4.** Homo ergo, non diuinitas trucidata est. Et qui per lignum peccauerat, fixus
20 in ligno est. **5.** Atque haec deo fuit adsumendi hominem praecipua ratio uel uoluntas, ut peccatum ab homine contractum per hominem tolleretur, et ab illo fides resurrectionis inciperet, quem primum resurgere debuisse constaret. Purus enim et ab omni immunis delicto pati
25 pro omnibus uoluit, ut non sola potestate, sed merito

XIV, 3 praedicata BV || 5 a *om.* κ || 6 morte alios *om.* P || 7 in *om.* P || 8 debuerat V || 9 alios : alias *mo* || 10 qua in re : quare P || 12 tua : tui κ || 15 diabulo T zabulo BV || adsumptum : sumptum C || 19 trucidanda C cruci data LT *edd.* || 23 resurrexisse C[ac] || 24 ab omni : omni B omnis V

---

1. A. Reatz, *Das theologische System* (1920), p. 103, n. 3, voit avec raison dans ce passage une lointaine allusion à *Col.* 2, 14.

XIV. Si le Christ a ressuscité d'autres hommes, comment n'a-t-il pas lui-même échappé à la mort?

APOLLONIUS. **1.** Si ces miracles dont tu as parlé, comme tu veux qu'on le croie, Dieu demeurant dans l'humanité les a réalisés, pourquoi a-t-il voulu assumer et souffrir la croix? ou pour quelle raison celui qui allait arracher les autres à la mort n'a-t-il pas lui-même échappé à la mort? ou encore comment aidera-t-il les autres, celui qui n'a pas pu s'aider lui-même? **2.** Devant fortifier la foi davantage sur ce point-là à l'intention de ceux qui doutaient de lui, il aurait montré qu'il libérerait les autres, s'il l'avait fait tout d'abord dans sa propre libération. Sur cette question, il est ou bien nécessaire que tu me livres une explication rationnelle, ou tout à fait juste de ne pas exiger ma croyance.

ZACHÉE. **3.** Sur ce point aussi, ton jugement se trompe, quand tu crois que la divinité a subi un dommage lors de la crucifixion, alors qu'étant insaisissable et libre, elle n'a pas pu souffrir, ni être enfermée. Mais, à travers l'humanité assumée, elle a en quelque sorte triomphé du diable, quand, en apposant sur le bois la victoire de la chair[1], elle l'a vaincu à travers un homme sans subir elle-même d'injure, lui qui avait poussé l'homme à la faute en faisant injure à Dieu. **4.** C'est donc l'homme, non la divinité, qui fut mis à mort. Et c'est celui qui avait péché par le bois qui fut fixé au bois. **5.** Et voici ce que Dieu a eu comme raison et volonté essentielle d'assumer l'humanité : ce fut pour que le péché contracté par l'homme soit aboli par l'homme, et que la garantie de notre résurrection soit fondée en celui dont il était certain qu'il avait dû le premier ressusciter. En effet, pur et indemne de toute faute, il a voulu souffrir pour tous, afin d'être préféré à tous non par sa seule puissance, mais par son mérite[a].

omnibus praeferretur[a]. **6.** Vides ergo quae sit diuinae pompa uirtutis uitaeque uictoria, mortem non meruisse, sed merentibus abstulisse, et uexillo spiritalis triumphi culpam materiae adfixisse non propriam. **7.** Quoniam qui-
30 cumque alius, dum a peccatis nemo hominum liber est[b], pro se tantum uitam dedisset, illum oportuit pro omnibus interire, qui pro se noxae nihil debens, cum condemnari non posset, adquieuerit et occidi, ne nos perpetua mors teneret.

XV. Qui sit diabolus, uel quod peccatum hominis

APOLL. PHILOS. **1.** Remoto hoc interim, ut quis iste diabolus uel unde sit dicas, quem incentorem nescio cuius
5 peccati fuisse confirmas, ipsum, si non piget, hominis pande peccatum, cuius tanta atrocitas, sicut adseris, fuit ut nisi per solam Christi crucem non potuerit expiari. **2.** Inspecta enim si qua est criminis qualitate, quid haec crucis praedicatio tantopere elata praestiterit promptius
10 elucebit.

ZACH. CHR. **3.** Non piget plane offensae ueteris explanare principia, et quem mali gradum primi hominis transgressio fecerit, simplici narratione contexere, ut qui peccati tantum causas audire desideras, etiam creatorem humani generis
15 propius agnoscas. **4.** Cum enim deus omnia fecisset ex nihilo, habitatorem mundi hominem finxit ex limo, rudique adhuc exanimo corpori spiritum sensumque largitus est[a] :

29 quoniam : quomodo B$^{pr.m.}$V || 30 alios B$^{pr.m.}$V || peccato κ || 33 possit BV || et *om.* L || 34 maneret B

XV, 3 qui BV || 14 etiam : et C || 16 limo : nichilo B$^{pr.m.}$V L || 17 adhuc : + et *edd.* || exanimi V || spiritum : sensum B$^{pr.m.}$

XIV. a. *Cf.* Phil. 2,9 b. *Cf.* Job 14,4
XV. a. *Cf.* Gen. 2,7

6. Tu vois donc quels sont l'éclat de la puissance divine et la victoire de la vie, tu vois qu'il n'a pas mérité la mort, mais l'a éloignée de ceux qui la méritaient, et que, grâce à l'étendard de son triomphe spirituel, il a cloué à la matière une faute qui ne lui était pas propre. **7.** Puisque quiconque, autre que lui – nul homme n'étant libre de péchés[b] –, aurait donné sa vie pour soi-même seulement, il a fallu que meure pour tous celui qui, sans avoir aucune faute à charge pour lui-même, bien qu'il ne puisse pas être condamné, a accepté même d'être mis à mort, afin que la mort éternelle ne nous possède pas.

XV. Qui est le diable, et quel est le péché de l'homme

Apollonius. **1.** Pour l'instant, après avoir remis à plus tard ton explication au sujet de l'identité et de l'origine de ce diable, dont tu m'assures qu'il a été l'inspirateur de je ne sais quel péché, ce péché de l'homme lui-même, si cela ne t'ennuie pas, dévoile-le moi, lui dont l'horreur, d'après ce que tu dis, a été si grande qu'il n'a pu être expié que par la seule croix du Christ. **2.** En effet, une fois examinée la nature du crime en question, s'il y en a un, le contenu de cette doctrine de la croix que vous répandez tellement apparaîtra plus rapidement de façon claire.

Zachée. **3.** Il ne m'est certainement pas ennuyeux de t'exposer les origines de la faute ancienne, et de faire figurer en une narration simple le degré de mal que la transgression du premier homme a produit, afin que toi, qui désires apprendre seulement les causes de ce péché, tu connaisses aussi plus exactement le créateur du genre humain. **4.** Comme Dieu avait fait toutes choses à partir de rien, il façonna l'homme, habitant du monde, à partir de la boue, et donna à son corps encore brut et sans vie, le souffle vital et la faculté de penser[a]: le souffle

spiritum, quo communem carpimus aerem, quo membra prouehimus; sensum, quo a ceteris animalibus discre-
20 pamus. **5.** Tum uiuendi proprium arbitrium addidit, liberum in omnia imperium tribuens. Tum immortalitas cum condicione permissa est, et in uoluntate lex posita, non quae obseruatione difficilis periculum inferret ignaro, sed quae ostensa ne usurparetur tantum, creatoris gratiam
25 cum immortalitatis beneficio custodiret. **6.** Sic posito itaque homini inter delicias paradisi[b], amoenissimi scilicet loci et nulla aurarum intemperie ac uarietate corrupti, ex omni pretiosarum arborum fructu edendi copiosa datur facultas. Sed in multis unius tantum arboris usurpatio prohibetur[c],
30 ut interdictam eandem arborem semper intuens homo, eius qui interdixerat meminisset, et praelatus omnibus prae se esse non obliuisceretur auctorem, ac sibi ita omnia subiecta cognosceret ut ei, qui sibi subiecerat, esset ipse subiectus[d]; simul ne homo rationabilis factus sicut bruta
35 animalia sine obseruatione torperet, sed ut eo quem solus praecipuum acceperat sensum, inter praeceptum ac beneficium et cauere intellegeret et mereri. **7.** Huic beatitudini diabolus inuidens, per serpentem, qui erat caeteris animalibus prudentior[e], mulierem primum, id est inferioris

TEST. ***XV,*** l. 31 praelatus omnibus : ISID., *Fid.*, I, 5, 9 (*PL* 83, 462B)
TEST. ***XV,*** l. 33-34 ut... subiectus : ISID., *Fid.*, I, 5, 9 (*PL* 83, 462B)

---

21 imperium in omnia tribuens C || 22 conditione BV L CP *edd.* || 24 tantum : tantam C *a*[1-2]*gm* || 26 homine P || 27 corrupti B[sec.m.] : corrumpi B[pr.m.]V corruptibili *mg.* B[sec.m] || 31 praelatis P *a*[1] || 32 praesse se P praeesse sibi CM || 35 eo : eum BV || 36 praecipuum *om.* L || 38 ziabulus T

---

b. *Cf.* Gen. 2,8 c. *Cf.* Gen. 2,17 d. *Cf.* I Cor. 15,28 e. *Cf.* Gen. 3,1

---

1. Il dépend de la volonté d'obéir ou non à la loi. Même insistance en *CZA* I, 36, 19.
2. C'est-à-dire comme une nécessité naturelle, à la manière des animaux

vital, par lequel nous jouissons de l'air qui appartient à tous et par lequel nous mouvons nos membres; la faculté de penser, grâce à laquelle nous différons des autres êtres animés. **5.** C'est alors qu'il lui remit encore un pouvoir de décision qui lui est propre pour conduire sa vie, en lui accordant une libre souveraineté sur toutes choses. C'est alors que lui fut concédée, d'une manière conditionnelle, l'immortalité, et qu'une loi fut imposée à sa volonté[1], non pas telle que, si elle avait été difficile à observer, elle aille mettre en danger un ignorant, mais telle qu'après lui avoir été présentée afin qu'elle ne soit pas seulement l'objet d'une pratique[2], elle lui garde la grâce du créateur avec le bienfait de l'immortalité. **6.** A l'homme ainsi placé dans les délices du paradis[b], séjour très agréable et qui n'était troublé par aucune intempérie ni aucune vicissitude des airs, est donnée une grande liberté de manger de tous les fruits de précieux arbres. Mais parmi ces nombreux arbres, il n'y en a qu'un dont l'usage lui est refusé[c], afin que l'homme, voyant toujours ce même arbre interdit, se souvienne de celui qui le lui avait interdit, et que, tout en étant placé à la tête de tout, il n'oublie pas qu'avant lui, il y a son créateur, et qu'il apprenne à connaître que toutes choses lui avaient été soumises à condition que lui-même fût soumis à celui qui les lui avait soumises[d]; en même temps, ce fut pour que l'homme créé raisonnable ne croupisse pas sans avoir de règle à observer, comme les bêtes sauvages, mais que par la pensée, que lui seul avait reçue en propre, il sache à la fois, face à un commandement et à un bienfait, être attentif et mériter. **7.** Le diable, jaloux de son bonheur, utilisant le serpent qui était plus rusé que les autres animaux[e], poussa d'abord la femme, c'est-à-dire l'être

qui exercent sans la connaître la fonction que Dieu leur a donnée et qui n'ont pas d'*obseruatio* (cf. *infra* parag. 6).

sexus hominem et ad credendum animi facilioris, illexit interdictum gustatu arboris temerare[f]. **8.** Per eandem postea uirum simili falsitate decepit[g], futuros adserens deo similes[h], si eius ligni pomis non abstinerent, quod uelut ideo diuinitas excepisset ne caelestem scientiam cum hominibus partiretur. **9.** His deceptos dolis in peccatum grauissimum compulit, ut se per transgressionem praecepti creatori similes esse, quamuis non possint, uelle tamen ausi sint. **10.** Hac fraude immortalitatis beneficio spoliati, de paradiso eiciuntur[i]. Ex illa inuiolabili temperie detractis, et sub hoc corruptibili aere uicturis pellicius statim uestitus imponitur[j], et ad quaerendum uictum labor improbus deputatur, ut solum uerterent nihil spontaneum praebiturum, et inter spinas ac tribulos desudantes[k], quamuis plura congererent, mortis tamen sententiae subiacerent. **11.** Haec interdicti prima transgressio malorum omnium causa mortisque principium. **12.** Nec tamen in uindictam dei prompta patientia sententiae irrogauit effectum, sed uim seuerioris edicti temporis interpositione molliuit, ut meritum ueniae esset ex labore paenitentiae, ac lapsi obseruationem iustitiae uel posteros edocerent, cuius gratia restitui uitae quam amiserant possent, qui per se grauiter

TEST. ***XV,*** l. 59-61 paenitentiae... uitae : ISID., *Fid.*, I, 5, 10 (*PL* 83, 462B)

---

40 credendi T || 41 gustatu : gustatum a^{1-2}*gm* + fructum $B^{sec.m.}$ || 44 ideo : **deo B^{ac} in deo V LT || 45 deceptis B^{ac} -tus V || 45-46 prauissimum a^{1-2}*gm* || 47 similis V || possit V || 48 ausi sint : ausus sit V || expoliati B || 49 illa : illo P || 52 deputat BV || sponte CP a^{1-2}*gm* || 54 congererent : cogerent κ || 57 promptae P^{ac} promptam a^{1-2}*gm* || 60 cuius : quorum κ || gratiae P || 61 possint : B LT P a^{1-2}*gm* || grauiter *om.* B

---

f. *Cf.* Gen. 3,4 g. *Cf.* Gen. 3,6 h. *Cf.* Gen. 3,5 i. *Cf.* Gen. 3,23-24 j. *Cf.* Gen. 3,21 k. *Cf.* Gen. 3,18-19

humain de sexe inférieur et dont l'âme se laisse plus facilement aller à croire, à braver l'interdiction en goûtant à l'arbre[f]. **8.** Plus tard, en se servant de cette même femme, il se joua de l'homme par une semblable tromperie[g], en affirmant qu'ils seraient semblables à Dieu[h], s'ils ne s'abstenaient pas des fruits de l'arbre que la divinité avait mis à part, comme pour ne pas partager avec les hommes la science céleste. **9.** Le diable entraîna ceux qu'il avait trompés par ces ruses à un très grave péché consistant à oser, en transgressant le commandement, vouloir pourtant, bien que ce soit impossible, devenir semblables à Dieu. **10.** Privés par cette tromperie du bienfait de l'immortalité, ils sont expulsés du paradis[i]. Après leur déportation loin de cette harmonie inviolable et alors qu'ils s'apprêtaient à vivre dans notre atmosphère corruptible, un vêtement de peau leur est aussitôt remis[j], et, pour chercher leur nourriture, leur est imparti le travail acharné[1] du labour sur un sol qui ne fournira rien par lui-même, et, tout en suant parmi les épines et les ronces[k], quoiqu'ils amassent une certaine quantité de biens, d'être soumis pourtant à une sentence de mort. **11.** Cette première transgression de l'interdit constitua la cause de tous les maux et l'origine de la mort. **12.** Pourtant, la patience de Dieu, prête au châtiment, ne leur a pas infligé l'exécution de la sentence, mais a adouci, en octroyant un délai, la contrainte de cet édit trop sévère, pour qu'à partir d'une œuvre de pénitence[2], ils puissent mériter le pardon, et que ceux qui étaient déchus enseignent à leurs descendants l'observation de la justice, par laquelle ils pouvaient être rendus à la vie qu'ils avaient perdue, après avoir gravement chuté par leur propre faute.

1. *Labor improbus*: cf. VIRG., *G.*, I, 145-146.
2. Voir AMBR., *Paen.*, II, 11, 99 (*SC* 179, p. 194): «Il (=Dieu) l'a aussitôt éloigné des plaisirs pour qu'il fasse pénitence.»

corruissent. **13.** Haec interualla pietatis ac salutaris uiae tramitem non per conuersationem satisfactio tenuit, sed uitiorum potius incrementa creuerunt, et sequentium
65 hominum consumpsit abusio, ita ut postea mortis conualescente sententia, ardentium criminum labem diluuii infusio sola restingueret.

XVI. Si deus impassibilis est, quare irascitur et uindicat?

APOLL. PHILOS. **1.** Suspectae audientiae est praeterire quae permouent. Nam si deus et impassibilis et bonus est, quem-
5 admodum nunc aut iratus aut uindicans est? Ira enim passibilem significat, ultio malum.

ZACH. CHR. **2.** Aequus humanorum actuum deus iudex est, qui reddit bonis praemia, malis poenam : bonus cum retribuit, cum uindicat iustus. **3.** Vnde ira non passibilem
10 significat, sed improbantem, et non malum uindicta sed iustum.

XVII. Quomodo post diluuium homines sint creati

APOLL. PHILOS. **1.** Cedendum est reuerentiae diuinitatis, maxime cum hoc semper credi de deo debeat quod pro honore sit dignum. **2.** Vnde ad suspensum articulum nar-
5 rationem reducens, quemadmodum post diluuium uel facti

62 interbella C interfebella P || 63 non : nec C || conuersionem B T[pc] || 64 uitiorum : umorum T[pc] tumorum T[ac] tumorem L

XVI, 3 suscepte C || 4 deus : + bonus B[sec.m.] || et bonus : deus et bonus C *om.* *β* || 4-5 quemadmodum : quem C || 5 aut[1] : et *a* [2]*gm mo* || 8 reddidit LT || 8-9 bonis [+ cur T] retribuit [-buittur T] cum uindicat iustos [-tus T] B T

XVII, 2 credendum L cauendum P || diuinitatis : dignitatis C || 5 post *om.* L

13. Ces délais dus à la divine bonté, ce chemin menant au salut n'ont pas donné lieu à une réparation par la conversion, mais c'est plutôt l'accroissement des vices qui s'est accru, et l'abus des générations suivantes les a consommés, si bien que, plus tard, la sentence de mort se renforçant, la souillure de leurs crimes flagrants ne put être éteinte que par le déversement du déluge.

XVI. Si Dieu est impassible, pourquoi est-il irrité et punit-il?

APOLLONIUS. **1.** Il est suspect, dans l'examen d'une cause, de passer sous silence les faits troublants. Car si Dieu est impassible et bon, comment peut-il être, à présent, irrité ou vengeur? En effet, la colère le montre passible et la vengeance mauvais.

ZACHÉE. **2.** Dieu est le juste juge des actes humains qui accorde récompenses aux bons, châtiment aux méchants : il est bon quand il rétribue, il est juste quand il punit. **3.** C'est pourquoi, la colère ne le présente pas comme soumis à la passion, mais manifestant sa désapprobation[1], et le châtiment pas mauvais, mais juste.

XVII. Comment les hommes ont été créés après le déluge

APOLLONIUS. **1.** Il faut s'incliner devant le respect dû à la divinité, surtout puisqu'on doit toujours croire, quand il s'agit de Dieu, ce qui est digne de son honneur. **2.** C'est pourquoi, ramène ton récit au point que tu as laissé en suspens, et expose-moi, de façon avisée, comment, après

1. Cf. SEN., *Ir.*, I, 16, 6 (éd. A. Bourgery, *CUF*, Paris 1922, p. 20) : «Un bon juge condamne les actes blâmables; il n'a pas de haine»; et LACT., *Ir.*, XVII, 16 (*SC* 289, p. 175).

homines uel nati sint, si auditu dignum est, consultus expone.

ZACH. CHR. **3.** Dignum plane dei erga nos ab initio pandere medicinam, et post diluuium seruatum in Noe 10 humani generis semen expromere, atque hinc progeniem uenisse per posteros, non iactis post tergum lapidibus puerili modo Deucalionem Pyrrhamque confingere. **4.** Itaque terra diluuio eluta, Noe tantum, quia solus iustus inuentus sit[a], ad propagandum humanum genus cum pro- 15 genie reseruatur[b], mortis tamen adhuc sicut nunc manente sententia, ut ex merito conuersationis cum resurrectione immortalitas redderetur. **5.** Aliquandiu apud homines iustitiae forma durauit, et exempli memoria uiguit disciplina, ac reuerentia terrore seruata est. **6.** Sed sicut semper 20 longa prosperitas ex abundantia securitatem, ex securitate abolitionem, ex abolitione abusionem creauit, obliti metum obliuiscuntur auctorem et a uitiis in sacrilegia proruperunt. Iam nec terris habitare contenti, tamquam ascensuri caelum, extruunt turrem, et hominum manu nubium celsa 25 temerantur[c]. **7.** O inexplicabilis bonitas dei, et nulli, ut dignum est, eloquenda miseratio! Deo non oboedire mors iusta est, et dei sedem appetisse impunitas fuit. **8.** Intuere diuinae clementiae lenitatem : temerarii non puniuntur in scelere, sed a scelere deducuntur, et ubi saeuire debuit 30 caeleste iudicium, praestantur signa uirtutum. **9.** Insuper paenitentiae uia et intellectus aperitur. Nam cum esset

12 pyrramque *β* || 13 elota P || quia : qui CP || 14 sit : est P || 15 reseruatum P[ac] -to CMP[pc] *a*[1] || adhuc : ad hoc *κ* || sicut nunc : sic BV *mo* || 19 timore V || 21 creatur P || 24 instruunt *κ* || turrim CM || et : ex C || 28-29 non – deducuntur *om.* P

XVII. a. *Cf.* Gen. 6,9; 7,1 b. *Cf.* Gen. 9,1 c. *Cf.* Gen. 11,4

le déluge, les hommes ont été créés ou sont nés, si cela mérite d'être entendu.

ZACHÉE. **3.** Certes il est juste de dévoiler le traitement médical que Dieu a adopté envers nous dès le commencement, et d'expliquer qu'après le déluge, la semence du genre humain a été conservée en Noé, puis qu'une postérité lui est venue par là grâce à ses descendants, mais il ne l'est pas d'imaginer, d'une façon puérile, Deucalion et Pyrrha lançant des pierres derrière leurs dos. **4.** Ainsi donc, la terre une fois nettoyée par le déluge, c'est seulement Noé, car il a été seul à être trouvé juste[a], qui, pour la propagation du genre humain, est mis à part avec sa progéniture[b], alors que la sentence de mort demeurait pourtant, comme maintenant, afin que, moyennant le mérite de la conduite, l'immortalité fût rendue à la résurrection. **5.** Pendant un certain temps, la règle de la justice demeura chez les hommes, et, grâce au souvenir du châtiment exemplaire, l'obéissance fut en vigueur, et une crainte respectueuse conservée par la terreur. **6.** Mais de même qu'une longue prospérité a toujours créé à partir de l'abondance l'insouciance, à partir de l'insouciance l'oubli, à partir de l'oubli l'abus, les hommes, ayant oublié la crainte, oublièrent le créateur, et, partis du vice, ils se précipitèrent dans les sacrilèges. N'étant plus satisfaits d'habiter la terre, ils construisent une tour comme s'ils allaient s'élever vers le ciel, et par la main de l'homme sont bravées les hauteurs des nuages[c]. **7.** O inexplicable bonté de Dieu! O miséricorde dont personne ne peut parler comme il le faut! Ne pas obéir à Dieu entraîna une juste mort, mais avoir désiré le séjour de Dieu, cela resta impuni. **8.** Vois la douceur de la clémence divine : ces audacieux ne sont pas punis pour leur méfait, mais détournés de leur méfait, et là où le jugement céleste aurait dû sévir, sont offerts des signes de puissance. **9.** En outre, la voie et la compréhension de la

adhuc eo tempore unus omnibus sermo[d], in numerosas, quae nunc per orbem sparsae sunt gentes, lingua diuiditur singulorum, et in opere feruentissimo hoc tantum
35 unusquisque loquitur quod solus intellegit[e]. **10.** Cum enim in exstructione sceleris perseueraret audacia, repente nesciunt rogare poscentes, oboedire nesciunt ministrantes, et quae molientibus uelut necessaria ingeruntur, aduersa sunt. **11.** Sic non poena, sed taedio, coepta linquuntur, ut
40 miraculi ad omnes postea cum stupore formido sine supplicii perueniret exemplo, cum, quam ob causam linguae prioris notitiam perdidisset, genti suae, in quam sermonis nouitate transierat, unusquisque narraret.

12. Sed quid prodest crimina texisse diluuio? Quid hanc
45 insaniae machinam indulgentia destruxisse non poena? **13.** Ecce iterum, o homo, in dei iniuria elementa confundis, honorem et cultum inuisibilis maiestatis ad uisibiles transferens creaturas[f]. **14.** Si altitudinem suspicis, deus supra est; si magnitudinem, ille immensior qui ubique
50 est; si splendorem, creator est clarior, et, qui fecit speciem, necesse est hac uirtute a se facta praecedat. **15.** Sit postremo haec inter creatorem creaturamque distantia, ut sic admirationem quae cernimus habeant, ut ea quae ob maiestatem uidere non possumus, cultum cum reuerentia
55 non amittant.

38 uelut *om.* V || iniunguntur B || 40 miraculis $a^{1\text{-}2}$*gm* || 42 nequitiam P || gentis T P || quam : qua BV || 43 nouitatem *edd.* || 46 iniuriam *β mo* || 49 qui *om.* BV a^2*gm* || 50 specie B[pr.m.]V || 51 hac : ac LT || sit : si L || 54 cum : enim P

---

d. *Cf.* Gen. 11,1 e. *Cf.* Gen. 11,7 f. *Cf.* Rom. 1,23

pénitence s'ouvrent à eux. Car comme il n'y avait encore en ce temps-là qu'un seul langage pour tous[d], cette langue commune se divise pour former les nombreuses nations qui sont maintenant dispersées sur la terre, et, dans l'œuvre où il mettait toute son ardeur, chacun dit seulement ce qu'il est seul à comprendre[e]. **10.** En effet, alors que leur audace persévérait dans l'édification de leur méfait, tout à coup, ceux qui réclament ne savent plus demander, ceux qui servent ne savent plus obéir et les matériaux qu'on leur apporte et qui paraissent nécessaires aux ouvriers ne leur conviennent pas. **11.** Ils abandonnent leur entreprise non par suite d'un châtiment, mais par dégoût, de telle manière que la crainte de ce miracle parvienne ensuite à tous dans la stupéfaction, sans l'exemple d'un supplice, puisque chacun racontait à sa nation, dans laquelle il était passé grâce à un nouveau langage, pour quelle raison il avait perdu la connaissance de son ancienne langue.

12. Mais à quoi servit-il d'avoir couvert les fautes par le déluge? Et pourquoi avoir détruit cette machine de folie par l'indulgence, et non par le châtiment? **13.** Voici qu'à nouveau, ô homme, en faisant cette injure à Dieu, tu le confonds avec les éléments, en attribuant l'honneur et le culte de la majesté invisible aux créatures visibles[f]. **14.** Si tu tournes ton regard vers ce qui est élevé, Dieu est au-dessus; vers la grandeur, il est encore plus grand, lui qui est partout; vers l'éclat de la lumière, le créateur est encore plus éblouissant, et il est nécessaire que celui qui a fait la beauté surpasse ses œuvres par cette qualité même. **15.** Qu'il y ait enfin entre le créateur et la créature une distance telle que, tout comme ce que nous voyons a notre admiration, de même ce que nous ne pouvons pas voir à cause de la majesté divine ne soit pas privé du culte qui lui est dû dans le respect.

XVIII. Vnde origo Iudaeorum

APOLL. PHILOS. **1.** Si horum quae recolis fides uera est, inaestimabili modo dei erga homines ac sine fine patientia est. **2.** Sed quoniam opere turris omisso, per omnem
5 terram sparsas gentes facta linguarum diuersitate memorasti, quemadmodum cum Moyse Iudaeorum subrepserit secta, aut quam ob causam tot saeculorum temporibus absumptis latio legis emerserit, cum hominis sensibus naturaliter lex inserta sit, si facultas scientiae est, arrepto ordine
10 ingrauanter eloquere.

ZACH. CHR. **3.** Vbi populus Iudaeorum de Aegypto liberatur, *** a primo homine usque ad quod dixi tempus, per successionum gradus dei notitia tenta est. **4.** Lex autem etsi non scripta litteris, sicut ipse professus es, sen-
15 sibus erat inserta naturaliter, sed postquam abolitioni utraque cesserunt, Abraham uir fidei singularis eligitur, quem patrem totius credulitatis ob hoc meritum deus statuit, quod primum incunctabundus domum, patriam, propinquosque per uocationem dei ad ignota et peregrina
20 iturus[a] reliquit, ne seruituti idolorum degens inter proximos dederetur, et gratiam fidei, quam iam merebatur et erat aucturus, amitteret, aut certe tepidius retineret. **5.** In sua

XVIII, 5 sparsas *om.* $B^{pr.m.}$V LT κ a^{1-2}*gm* || facta : facta/ B factas V LT $M^{ac}a^2$*gm* fat*s P || 6 cum Moyse : Moysi V || 11-12 ubi – liberatur *om.* β || 12 ad : + id κ || 13 successionem BV L || 15 postquam : quia CM quam P || abolitione L a^2*gm* || 16 cessarunt L P || uir *om.* B || 17 hoc *om.* BV || 18 patriam : propriam BV || 19-20 per – iturus *om.* V || 20 relinquit V dereliquit B || 22 retineret : remaneret V

XVIII. a. *Cf.* Gen. 12,5

---

1. Seul le début de la phrase est conservé dans C et P, et devait l'être aussi dans M, d'après a^1. Selon la logique du texte, la suite devait parler du don de la loi écrite, peut-être pour dire qu'il n'était pas encore réalisé au moment de la libération d'Egypte.

XVIII. Quelle est l'origine des juifs

APOLLONIUS. **1.** S'il faut accorder à tes propos un crédit véritable, elle est incommensurable et sans fin la patience de Dieu envers les hommes. **2.** Mais puisque tu as mentionné, une fois abandonnée la construction de la tour, les nations répandues à travers toute la terre quand apparut la diversité des langues, comment la secte des juifs a-t-elle fait son apparition au temps de Moïse, et pourquoi une promulgation de la loi est-elle apparue après tant de siècles, alors que la loi est naturellement inscrite dans la pensée de l'homme? Dis-le moi, s'il est possible de le savoir, en choisissant un ordre des faits, sans que cela te pèse.

ZACHÉE. **3.** Quand le peuple des juifs est libéré d'Égypte, ***[1] à partir du premier homme jusqu'au temps dont j'ai parlé[2], à travers les étapes successives, la connaissance de Dieu a été conservée. **4.** D'autre part, la loi, bien que n'étant pas écrite par des lettres, comme tu viens de l'affirmer toi-même, était inscrite naturellement dans la pensée; mais après que l'une et l'autre eurent cédé à l'oubli, Abraham, homme d'une foi remarquable, fait l'objet d'un choix, et Dieu l'établit père de tous les croyants à cause de son mérite, qui consista à quitter tout d'abord sans hésiter sa maison, sa patrie et ses proches à cause de l'appel de Dieu, pour aller vers l'inconnu et l'étranger[a], afin qu'il ne soit pas livré, alors qu'il vivait parmi ses voisins, à l'esclavage des idoles, et qu'il ne perde pas la grâce de la foi, que déjà il méritait et qu'il allait augmenter, ou pour que, du moins, il ne la conserve pas avec trop de tiédeur. **5.** A nouveau, alors

2. *Vsque ad quod dixi tempus,* c'est-à-dire soit jusqu'au temps du don de la loi, si c'est bien de cela qu'il était question dans le passage manquant, soit, peut-être, jusqu'au temps de la tour, dont il était question au chap. précédent.

iterum et uxoris senectute postrema[b], iam membris per aetatem frigentibus, nasciturum sibi filium, quia hoc
25 ei deus promisisset, non desperauit, credens naturae difficultatem diuinae sponsionis possibilitate uincendam. Quem postea, cum esset ei unicus, dei iussu caedendum arae incunctanter admouit[c], praestare amplius creatori quam adfectui studens, simulque confidens etiam de
30 ambusti cineribus reddi sibi integrum posse[d], quem dei causa ignis hausisset. **6.** Verum numquam credentibus dura diuinitas non orbari lectissimum uirum passa est, sed tantum probari. Nam sub ictu gladii iam iamque ferientis, arietem subiecit intento[e], hostiam mitiorem, ut
35 et absque pietatis dispendio deuotio compleretur, et nihilominus gratiam fidei acciperet, qui deum adfectui praetulisset. **7.** Tali igitur credulitate promissionem adfluentis terrae secuturo semini meruit, et iudaici princeps populi circumcisionem primus accepit, non quod praeputium ius-
40 titiae praeiudicaret aut fidei, uel aliquid superfluum in homine deus creasset quod postea iuberet abscidi, sed ut inter alias gentes signaculo corporis electi uiri soboles nosceretur.

8. Itaque plebs eadem ob inopiam earum quas inha-
45 bitabat regionum[f] transmisit in Aegyptum, non quod his deus quocumque loci praestare abundantiam non ualeret, sed ut rursum educturus ex Aegypto[g], quantus esset, mira-

23 iam membris *om.* B || 30 ambustis C $a^{1\text{-}2}$*gm* || 32 dura : clara a^1 || laetissimum V || lectissimum uirum : eum κ || passa est : patitur P potitur C || 33 sed tantum probari *om.* CP || iam *om.* LP a^1 || 36 qui : quae a^1 || 39 accipit T || 43 nasceretur LT^{ac} P || 45 transit LT CP $a^{1\text{-}2}$*gm* || 47 deducturus C

b. *Cf.* Gen. 17,17; 21,2 c. *Cf.* Gen. 22,9-10 d. *Cf.* Hébr. 11,19 e. *Cf.* Gen. 22,13 f. *Cf.* Act. 7,11 g. *Cf.* Gen. 46,4

1. Cf. HIER., *Gal.*, II, 3 (*PL* 26, 352D).

qu'ils étaient, lui et sa femme, dans une vieillesse extrême[b] et que déjà leurs membres étaient refroidis par l'âge, il ne désespéra pas de la naissance d'un fils – car c'est Dieu qui la lui avait promise – en croyant que l'obstacle de la nature devait être surmonté par la puissance de la promesse divine. Plus tard, ce fils, bien qu'il fût son unique, il l'amena sans hésiter, sur l'ordre de Dieu, à l'autel pour le sacrifier[c], en s'efforçant d'être plutôt au service du créateur qu'à celui de son affection paternelle, et en ayant en même temps la ferme conviction que même à partir des cendres de son fils brûlé, celui que le feu aurait consumé pour Dieu pouvait lui être rendu sain et sauf[d]. **6.** Toutefois, la divinité qui n'est jamais dure pour les croyants n'a pas toléré qu'un homme d'élite fût privé de son enfant, mais seulement qu'il fût mis à l'épreuve. Car sous les coups du glaive juste en train de frapper, c'est un bélier, victime plus acceptable, qu'elle a fait servir au projet d'Abraham[e] pour que l'acte de dévouement de ce dernier fût accompli sans dommage pour la piété, et qu'il n'en reçoive pas moins la grâce de la foi, car il avait été prêt à préférer Dieu à son affection paternelle. **7.** Donc, par une telle croyance, il a mérité pour la descendance qui le suivrait la promesse d'une terre d'abondance, et, chef du peuple juif, il reçut le premier la circoncision, non pas parce que le prépuce porterait préjudice à la justice ou à la foi, ou que Dieu aurait créé en l'homme quelque chose de superflu qu'il ordonnerait plus tard de retrancher, mais afin que la race de l'homme élu fût reconnue parmi les autres nations au moyen d'un sceau placé sur le corps[1].

8. Ainsi donc, ce peuple passa en Égypte à cause d'une famine dans les régions qu'il habitait[f] : non que Dieu ne pût pas leur offrir l'abondance en quelque lieu que ce soit, mais pour qu'en les conduisant à nouveau hors d'Égypte[g], il leur enseigne par des merveilles quelle

bilibus edoceret. **9.** Fit magnus ex hac progenie populus,
et usque ad inuidiam multitudinis paucitas crescit, ita ut,
50 cum sibi praeualituros Aegyptii formidarent[h], tamquam
debitae subditos seruituti indignis operibus adficere nite-
rentur. **10.** Saeua insuper edicti uiolentia uirilem sexum
ab utero neci dabant[i], ut oriundos expositio, labor ualidos
absumeret. **11.** Sub his adflictationibus auctorem deum
55 sibi a maioribus traditum peregrina plebs conuenit, et in
sui liberationem cultam per patres poscit diuinitatem[j].
12. Qua factum est ut contra uim crudelis edicti, Moyses
primum a parentibus educaretur occulte[k], inuentus deinde
a filia Pharaonis[l], cum ob metum praecepti esset expo-
60 situs, omni Aegyptiorum informaretur sapientia[m], atque ad
liberandum dei populum praecepta susciperet, ne uel
indoctus casualiter, uel mediocris intellectu, si institutus
omni eorum sapientia non fuisset, incautius quae susce-
perat et credidisse uideretur et agere. **13.** Huic per ignem
65 de rubo[n] deus loquitur, et ualitura in Aegyptios signa
demonstrat[o], quibus utique et hi crederent quorum seruitus
soluebatur, et qui renisuri erant deterrerentur, possetque
in hac prodigiorum ostentatione gens utraque seruari, cum
dei manu euidenter inspecta et conuerti ab impietate sua[p]
70 contumaces admonerentur, et liberarentur adflicti.

14. Tum Moysi emissionem memoratae plebis ex dei
auctoritate poscenti, cum Pharaone Aegyptiorum rege magi

49 crescit : creuit L || 53 ualidus V || 54 absumeret : + et a^1 || afflictionibus BV *edd.* || 55 in *om.* LT || 57 qua : quia P quo B$^{sec.m.}$ || moises L || 62 intellectus κ a^1 || si *om.* κ a^1 || 63 incautus BV CP *edd.* || 64 et^1 *om.* CP || huic : hinc *mo* || 67 remansuri BV || possitque V LT || 68 prodigiorum : signorum B || 71 ex : et P || 72 faraone de aegyptiorum rege P || magi : acre V

h. *Cf.* Ex. 1,9-10 i. *Cf.* Ex. 1,22 j. *Cf.* Ex. 2,23 k. *Cf.* Act. 7,20 l. *Cf.* Act. 7,21 m. *Cf.* Act. 7,22 n. *Cf.* Ex. 3,4 o. *Cf.* Ex. 4,17 p. *Cf.* Sag. 12,2

était sa grandeur. **9.** Le peuple s'accroît à partir de cette progéniture, et leur petit nombre augmente jusqu'à provoquer la jalousie de la multitude ; de ce fait, comme les Égyptiens craignaient qu'ils ne deviennent plus puissants qu'eux[h], ils s'efforcèrent de les accabler de travaux indignes, comme s'ils étaient soumis à un esclavage qu'ils leur devaient. **10.** En outre, par la force d'un cruel édit, ils ordonnèrent que les mâles fussent tués dès le sein maternel[i], afin que l'abandon fît disparaître ceux qui allaient naître et le travail ceux qui étaient en bonne santé. **11.** Le peuple exilé, en proie à cette désolation, se retourne vers son auteur, le dieu qui lui avait été transmis par ses ancêtres, et prie pour sa libération la divinité à laquelle ses pères rendaient un culte[j]. **12.** Grâce à elle, il arriva que, malgré la violence de ce cruel édit, Moïse fut d'abord élevé en secret par ses parents[k], ensuite, après avoir été trouvé par la fille de Pharaon[l], puisqu'il avait été exposé par crainte de l'ordre donné, qu'il fut instruit dans toute la sagesse des Égyptiens[m], et qu'il reçut des ordres en vue de libérer le peuple de Dieu, cela pour éviter que, demeuré par hasard inculte ou d'une intelligence médiocre, s'il n'avait pas été élevé dans toute leur sagesse, il ne paraisse avoir cru et opéré trop imprudemment ce qu'il avait assumé. **13.** Dieu lui parle à travers le feu, à partir d'un buisson[n], et lui expose les signes qui allaient s'accomplir contre les Égyptiens[o] pour que, de toute manière, ceux dont l'esclavage prenaient fin croient, et que ceux qui étaient disposés à résister soient terrifiés, et que, dans ce déploiement de prodiges, les deux peuples puissent être préservés du fait que, une fois la puissance de Dieu vue avec certitude, les rebelles seraient exhortés à se convertir de leur impiété[p], et les accablés seraient libérés.

14. Alors, des magiciens qui se trouvaient avec Pharaon, le souverain des Égyptiens, résistent à Moïse qui demande

resistunt, fallere eundem prodigiorum quae fecisset imitatione nitentes[q]. Nec cedit aliquantisper similitudo ueritati,
75 signisque phantasia, sed obniti utcumque permittitur, non ut profanorum falsitas uinceret, sed ut dei uirtus latius eluceret. **15.** Nam cum plagarum diuersitates in causa signi sicut Moyses faciebat, idem quoque facere uiderentur, reuocare non poterant quod fecissent. Et sicut haec
80 monstruosa scientia solet, nocere nouerant, succurrere nesciebant, malorum, quae ipsi intulerant, cessationem ab eo rursum, quem imitari conabantur, orantes[r]. **16.** Sic ad extremum dimittere populum ui inimitabilium signorum et impossibilitatis suae confessione compulsi sunt.
85 **17.** Admonentur dei iudicio profecturi celebritatem gaudii sub breui simulare discessu[s], et ad ornatum absentium solemniorum impetrare hospitum censum, eundemque pro diuturni laboris merito retinere[t], non fraudis studio, sed honore mercedis. **18.** Inde elusi, cum adhuc de opum
90 retentatione nihil scirent, quos ad iter oratu compulerant, recrudescente malitia cum ira[u] insequuntur emissos ; et imminente Aegyptiorum exercitu spes euadendi metuentibus deest[v], cum et a tergo hostes insisterent, et mare oppositum a fronte prohiberet. **19.** Adest territis deus, et
95 in summo desperantium metu caeleste pugnat auxilium. Interiectae primum per diem tenebrae uelut obiectu impe-

73 resistunt : + ut CP || fecissent P^{pc} || 74 nitentes : dicentes CP || 75 fantasiae BV || 76 prodigiorum V || 77 causam CP || 80 poterant V || nesciebant : non ualebant V || 83 ui *om.* a^1 || 84 et *om.* LT a^1 || suae : quae L || confessionum V || 89 inde lusi a^1 inde eulusi T ii delusi a^2*gm mo* || 90 retentione *gm mo* || 93 et^1 *om.* BV || 94 a fronte oppositum *edd.*

---

q. *Cf.* Ex. 7,12 ; 7,22 ; 8,7 r. *Cf.* Ex. 8,1-8 s. *Cf.* Ex. 12,11 t. *Cf.* Ex. 12,35-36 u. *Cf.* Ex. 14,8 v. *Cf.* Ex. 14,10

par l'autorité de Dieu la libération du peuple, et ils s'efforcent de tromper Pharaon par l'imitation des prodiges que Moïse avait faits[q]. Pendant un certain temps, la ressemblance ne reste pas inférieure à la vérité, ni l'illusion aux miracles, mais il est permis, en quelque sorte, qu'elles se combattent l'une l'autre, non pas pour que la fausseté des païens triomphe, mais afin que la puissance de Dieu brille encore davantage. **15.** Car, même si ces magiciens semblaient faire aussi la même multiplicité de fléaux que Moïse en guise de signes, ils ne pouvaient pas retirer ce qu'ils avaient fait. Et comme cette science monstrueuse en a coutume, ils savaient nuire, mais ne savaient pas être secourables, demandant à leur tour à celui qu'ils s'efforçaient d'imiter la cessation des maux qu'ils avaient introduits eux-mêmes[r]. **16.** Finalement, ils furent contraints, par la force de signes inimitables et par l'aveu de leur propre impuissance, de renvoyer le peuple. **17.** Ceux qui s'apprêtaient à partir sont exhortés, sur une décision de Dieu, à organiser la célébration d'une fête joyeuse peu avant leur prochain départ[s], et à s'emparer de la fortune de leurs hôtes pour embellir des solennités encore plus grandes, mais lointaines, et à la garder en vertu du mérite de leur long travail[t], non par une volonté d'escroquerie, mais à titre de salaire. **18.** Quant à ceux qui avaient été ainsi trompés, alors que, jusque-là, ils ne savaient rien de la mainmise sur leurs biens, leur méchanceté s'accroît en même temps que leur colère, et, après les avoir libérés, ils poursuivent[u] ceux qu'ils avaient poussés à partir en les suppliant; et devant la menace de l'armée des Égyptiens, l'espoir de s'évader fait défaut à ce peuple dans la crainte[v], puisque, par derrière, les ennemis se font pressants et que, par devant, se présente l'obstacle de la mer. **19.** Dieu les assiste dans leur terreur, et l'aide céleste combat pour eux, alors que, désespérés, ils sont au plus fort de leur crainte. Tout d'abord, des ténèbres jetées au travers du jour les défendent comme par une barrière

netrabili[w] praecedentes defendunt, et a persequentium impetu mutata elementorum uice tuetur trepidos subita noctis infusio. **20.** Virga deinde Moyses percutere pelagus
100 iubetur immensum, atque ad praebendam transeuntibus uiam profundi aquas imperio remouere. **21.** Celsa altrinsecus undarum acies erigitur, et tamquam ad signum bellici moris dispositos stare diceres fluctus, ac mare muri similitudine[x] solidatum intellegentis obsequio diuidi.
105 **22.** Panditur siccum gradientibus solum, et ima pelagi ardua laterum mole uacuantur, populoque in litus aliud euadente, cum persequentes abeuntibus imminerent, ictum similiter per Moysen rursum in se conuenit mare. Et tamquam ob dei iniuriam uindicis elementi immensitas
110 recursu tumidiore conflueret, innumerabilis curruum et equorum cum electis ascensoribus multitudo submergitur, mixtaque arenis bellatorum manus, tamquam non fuisset, obtecta est[y].

23. His primordiis ab Abraham Moyse duce plebs
115 adsumpta Iudaeorum est, et post transitum maris usque ad heremum, in qua quadraginta annis mansere, perducti sunt. **24.** Hos per noctem columna lucis tamquam itineris dux praeibat[z]. Eadem etiam per diem, ne fessos lassitudo conficeret, in nube praecedens ab aestus iniuria uindi-
120 cabat. **25.** Ita prorsus famulantibus elementis dei auxilio usi sunt, ut in eius beneficiis non sola caelestis potentiae dignatione, sed et paternae pietatis indulgentia fruerentur,

98 subitae CM subito P subdita *a*²*gm* || 99 pelagos T || 102 ad signum : signum P signo CM || 104 intelligentes V -legentes C^{ac}P -ligeres B || diuiditur C diui P || 105 et ima : etiam B^{ac}V LT || 106 litus : latus B || 108 in se *om.* CM || conuenit : + in L || 113 obiecta C || 116 qua : quo BLT CM + per C || 117 hos : his *κ* || 121-122 solam... dignationem V || 122 et : ut CP || fruerentur + et CP *a*$^{1-2}$*gm*

---

w. *Cf.* Ex. 14,20 x. *Cf.* Ex. 14,22 y. *Cf.* Ex. 14,28 z. *Cf.* Nombr. 14,14; Ex. 13,21

impénétrable[w], et la chute subite de la nuit, en inversant l'ordre des éléments, les protège, alors qu'ils tremblent, de l'attaque de leurs poursuivants. **20.** Puis Moïse reçoit l'ordre de frapper de son bâton la mer immense et, pour offrir un chemin à ceux qui traversaient, d'éloigner, par un commandement, les eaux de l'abîme. **21.** Une haute ligne d'eau s'établit des deux côtés, et on dirait que les flots sont rangés comme à un signal en usage à la guerre et que la mer, solidifiée à la ressemblance d'un mur[x], se divise avec l'obéissance d'un être intelligent. **22.** Un sol sec est offert à ceux qui s'avancent et les profondeurs de la mer sont vidées pour former une immense masse d'eau raide qui se tient sur chaque côté, puis, au moment où le peuple arrivait sur l'autre rive, alors que les poursuivants étaient sur les talons des fuyards, la mer, frappée de la même façon par Moïse, se replie à nouveau sur elle-même. Et comme si, à cause de l'offense faite à Dieu, l'immensité de cet élément vengeur se rassemblait en se gonflant encore plus dans son reflux, une multitude innombrable de chars et de chevaux avec des cavaliers d'élite est submergée, et la troupe des guerriers, mêlée aux sables, recouverte comme si elle n'avait pas existé[y].

23. C'est à partir de ces origines qui remontent à Abraham que le peuple des juifs, placé sous la conduite de Moïse, fut choisi, et après la traversée de la mer, ils furent conduits au désert, où ils restèrent quarante ans. **24.** Une colonne de lumière les précédait comme un guide pendant la nuit[z]. Durant le jour aussi, pour que la fatigue n'achève pas ceux qui étaient épuisés, cette dernière, en les précédant dans une nuée, les protégeait des dommages de la chaleur. **25.** Grâce à l'aide de Dieu, ils profitèrent d'éléments entièrement domestiqués si bien que, au milieu de ses bienfaits, ils ne jouirent pas seulement de la bienveillance de la puissance céleste, mais aussi de l'indulgence de sa bonté paternelle, puisque, partagés entre leur admiration et leurs

cum inter admirationem ac necessitatem stuperent signa, et pericula non timerent.

XIX. Quare post egressionem Aegypti in heremo ducti sunt, uel cur lex data sit

APOLL. PHILOS. **1.** Grata est quidem cognitio praedictorum, sed nisi rationis plenitudine muniatur, infirma est.
5 Quid igitur fuit causae ut emenso mari tantis rerum miraculis liberati ad heremum ducerentur? **2.** Aut cur postea in desertis tam longi temporis ablegatione cruciati sunt, cum illis praeterea alimoniam caeteraque uitae necessaria horrens regionum nuditas non praeberet? **3.** Vnde ergo
10 multitudini pastus, aut quam ob causam haec tantopere liberatis poena fuerit, uel quemadmodum postea lex lata, deprome.

ZACH. CHR. **4.** Nec poena illud relegationis fuit, nec in desertis ac squalentibus locis necessaria defuerunt, sed
15 pastus hominum exhibitione pretiosior, et heremi ipsius circuitio congrua. Atque haec praecipua morarum causa, ut illic praecedentia miraculorum augerentur exempla. **5.** Et quia semper adsueta diligimus, prouidendum fuit ne statim ad promissionis terram breui ac recto itinere peruenirent,
20 quibus ad Aegyptum reuertendi uoluntas, sicut confestim probatum est, posset aliquando subrepere, cum etiam in

XIX, 4 munitur *β mo* || infirmata P || 6 ad : ab P^pr.m.^ || 8 alimonia *κ* || 11 lata : prolata C probata P || 12 depromit V || 14 desertis ac *om.* *β* || 15 exhabitatione L || 16 praecipue *κ* || 17 ut : et P + et C *a*¹ || exempla *om.* L || 18 assueta diligit animus LT || 20 sicut *om.* P || 21 possit *β*

1. L'origine de cette question se trouve dans *Deut.* 9, 28 : la prière de Moïse adressée à Dieu suggère ce reproche.

2. Cf. LACT., *Inst.*, IV, 10, 8 (*SC* 377, p. 86 s.) : *Hebraei uero ingressi*

besoins, ils étaient stupéfaits devant les signes accomplis, et ne craignaient pas les dangers.

XIX. Pourquoi, après la sortie d'Égypte, ils ont été conduits dans le désert, et pourquoi la loi a été donnée

APOLLONIUS. **1.** Il m'est certes agréable d'apprendre cela, mais cette connaissance, si elle n'est pas fortifiée par la plénitude de la raison, est faible. Donc, pourquoi, après avoir traversé la mer, ceux qui furent libérés grâce à de si grands miracles, furent-ils conduits au désert? **2.** Et pourquoi, ensuite, dans les déserts, ont-ils été tourmentés par un si long bannissement, d'autant que la pauvreté affreuse de ces régions ne leur offrait pas l'alimentation ni les autres biens nécessaires à la vie[1]? **3.** D'où vinrent donc les aliments pour cette foule, ou pour quelle raison ceux qui furent ainsi libérés reçurent-ils ce châtiment, ou comment, plus tard, la loi fut-elle promulguée? Fais-le moi connaître.

ZACHÉE. **4.** Ce ne fut pas une peine d'exil, et le nécessaire ne manqua pas dans les déserts et les lieux arides, mais les aliments y furent plus précieux que ceux que les hommes produisent, et le détour par le désert lui-même fut opportun. Le but principal de cette prolongation de leur séjour était de faire se multiplier là les exemples des miracles antérieurs[2]. **5.** Et parce qu'on aime toujours ce dont on a l'habitude, il a été veillé à ce qu'ils ne parviennent pas tout de suite, par un chemin court et droit, à la terre promise, car la volonté de revenir en Égypte pouvait un jour ou l'autre subrepticement s'introduire en eux, comme cela s'est avéré rapidement, puisque même dans la très grande abondance qui était la leur dans cette

in solitudinem multa mirabilia uiderunt, «Les Hébreux, étant entrés dans le désert, y ont vu beaucoup de miracles.»

summa abundantia incognitae regionis adsuetorum desiderium et profani sacrorum ritus, a quibus maxime arcebantur, occurrerent; ne expellendarum praeterea ex
25 hisdem regionibus gentium, licet praeuia diuinitate illis non illatura dispendium, statim bella terrerent; simul etiam ut post heremi iniuriam promissa habitatio plus placeret, quam licet per se inaestimabilis amoenitas commendaret, praeteritorum tamen recordatio faceret aptiorem. **6.** Et
30 uide clementem in sua patientia diuinitatem: uictum non supplici sperantibus prece, sed deesse tumultuarie querentibus nubem quandam praestat annonae, et angelorum cibo[a] corpora humana uescuntur, ita ut nocturnae largitatis infusio non querelae tantum intercluderet locum, sed
35 usui congesta superesset. **7.** Illic per omne, quod dixi, tempus, mirum in modum, non calciamentum, non uestis adteritur[b], nulla perinde capillorum aut unguium excretio dominata est, sed uelut immortalitate iam reddita, immutabilem hominis formam simplex seruauit integritas.

40 **8.** Illic Moyses ad suscipiendam legem uocatur in montem[c], et quadraginta diebus ac noctibus[d] dei tentus adloquio[e], scripta in lapideis tabulis refert praecepta, pro nefas, corruptos sacrilegio quos reliquerat deprehendens, dum adhuc manna et caelesti oblectatione essent refecti.
45 **9.** Cum enim eiusdem Moysi moras[f] uelut non redituri idem populus incusaret, praedicta abundantia saturatus, cito deum, a quo ex Aegypto eductus esset, oblitus est.

22 desideriorum *β* *a*$^{1-2}$*gm* || 25 religionibus C || illis : illius P || 31 supplicis T || 31-32 quaerentibus T *a*^{1} || 38 inmutabilis MP || 40 uocatus BV || 41 et *om.* B LT || 43 quos reliquerat *om.* V || 44 refecti : referti CP *a*^{1} || 47 deum a quo : a deo quod L *mo* ad deum quod T a quo *κ* *a*^{1}

XIX. a. *Cf.* Ps. 77,24-25 b. *Cf.* Deut. 29,5 c. *Cf.* Ex. 19,20 d. *Cf.* Ex. 24,18 e. *Cf.* Ex. 31,18 f. *Cf.* Ex. 32,1

1. Cf. TERT., *Res.*, LVIII, 6 (*CCSL* 2, p. 1006, 19-23); HIER., *Job.*, 32 (*PL* 23, 383C).

région inconnue, l'envie de leurs anciennes habitudes et les rites du culte païen, loin desquels ils étaient tout spécialement retenus, s'offraient à eux; il fut en outre veillé à ce que les guerres visant à chasser des peuples de ces régions ne les effraient pas tout de suite, bien que la divinité qui les précédait n'allât pas les exposer au péril; en même temps, ce fut pour qu'après les affres du désert, le séjour qui leur était promis leur plaise davantage, bien que ses inestimables délices le recommandent par lui-même, car le souvenir du passé le rendrait pourtant plus agréable encore. **6.** Et vois la clémence divine dans sa patience : elle offre une sorte de nuée de vivres non pas à des hommes qui attendaient leur subsistance d'une prière suppliante, mais à des gens qui se hâtaient de se plaindre qu'elle faisait défaut, et les corps humains se régalent de la nourriture des anges[a], à tel point que le déversement de cette générosité nocturne n'enleva pas seulement l'occasion de se plaindre, mais que ce qu'on avait ramassé excédait. **7.** Là-bas, durant tout le temps dont j'ai parlé, d'une façon extraordinaire, aucune chaussure, aucun vêtement ne s'est usé[b] et aucune croissance des cheveux et des ongles ne s'est installée, mais, comme si l'immortalité avait déjà été rendue, une pure intégrité a maintenu immuable l'aspect de l'homme[1].

8. Là-bas, Moïse fut appelé sur la montagne[c] pour y recevoir la loi, et après avoir été retenu durant quarante jours et quarante nuits[d] par son dialogue avec Dieu[e], il rapporte des commandements écrits sur des tables de pierre, mais, ô impiété, c'est pour trouver corrompus par un sacrilège ceux qu'il avait laissés, alors qu'ils étaient encore comblés par la manne, festin céleste! **9.** En effet, alors que ce peuple se plaignait du retard de Moïse[f], comme s'il n'allait plus rentrer, étant encore comblé de l'abondance dont il vient d'être question, il oublia vite Dieu qui l'avait conduit hors d'Égypte. Par amour du

Poscere per luxuriam quos coleret, deos coepit, missisque in ignem mulierum monilibus[g] illi se dandum professus
50 est religioni quae culti in Aegypto idoli formam referret. **10.** Reuersus Moyses fideliter saeuit in facinus, et redacto in puluerem tauri capite[h], quod factum in similitudinem abominationis Aegyptiae fuerat, delatas in legem tabulas indignatione confregit[i], indignos fore dei litteris iudicans,
55 quos talis ausi exsecratio polluisset. Nec prius ab irae impetu destitit, quam missis per castra sectoribus[j] multorum caede piaretur admissum, et sedata iniuria dei refecta in tabulis reportarentur praecepta[k]. **11.** Quorum reparatione monstratum est deum non odisse quos per-
60 miserit corrigi, sed deleri noluisse quos sic uoluerit castigari.

12. Haec ergo heremi circumitio, haec erga susceptam semel plebem beneficia dei quadraginta annis[l] durarunt. **13.** Tum lex diuinitus lata est, quae sui editione non
65 praeceptorum nouitatem, sed reparationem iustitiae naturalis adferret, ut quod ante pauci admodum et sapientes sciebant, omnes nunc intueantur et perlegant, nec excusandi habeat ignoratio locum, cum id quod sibi ingenitum quis forte non sentit, non solis sensibus quaerat,
70 sed uisibus recognoscat.

50 culti : cultu V cultam B[pr.m.] + uel culti B[sec.m.] || 52 similitudine κ || 54 indignatio P || confringit BV T P *edd.* || 56 desistit CP || 58 refecta : + reexarata *sup. l.* C || 59-60 miserit CP || 62 circuitio *edd.* || 63 semel *om.* B || 64 tum : cum P || edictione M *a*[1] ediccione P || 64-66 non – adferret : hoc praestitit *β* || 65-66 naturali P || 66 antea CP || 69 fore *β* *a*[1-2]*gm*

g. *Cf.* Ex. 32,2 h. *Cf.* Ex. 32,20 i. *Cf.* Ex. 32,19 j. *Cf.* Ex. 32,27-28 k. *Cf.* Ex. 34,1 l. *Cf.* Deut. 8,2

1. On comparera les par. 8-10 avec S. SEV., *Chron.*, I, 19, 6 (*CSEL* 1, p. 21) : *Sed regressus Moyses, cum duas ex lapide tabulas manu Dei scriptas detulisset, populumque luxui et sacrilegio deditum deprehendisset, tabulas confregit, indignam esse gentem existimans, cui lex domini traderetur,* « Mais comme Moïse, après son retour, avait ramené deux tables

luxe, il commença à réclamer des dieux pour les adorer, et, après avoir confié aux flammes les bijoux des femmes[g], il déclara qu'il lui fallait se vouer à la religion capable de lui présenter l'image de l'idole adorée en Égypte. **10.** A son retour, Moïse sévit avec zèle contre leur forfait, et ayant réduit en poussière la tête du taureau[h], qui avait été faite à la ressemblance de l'abomination pratiquée en Égypte, il brisa avec fureur les tables consacrées à la loi[i], jugeant que seraient indignes des Écritures de Dieu[1] ceux que l'horreur d'une telle entreprise avait souillés. Et il ne se calma pas de cet accès de colère avant que, par l'envoi de bourreaux à travers le camp[j], le méfait commis ne soit expié moyennant le massacre d'un grand nombre, et que les commandements, rétablis, n'aient été reportés sur des tables[k], après que cette injure faite à Dieu eut été apaisée. **11.** Par cette restauration des commandements, il a été montré que Dieu ne déteste pas ceux qu'il a permis qu'on corrige, mais n'a pas voulu qu'on anéantisse ceux qu'il a fait ainsi châtier.

12. Ce détour par le désert, ces bienfaits de Dieu à l'égard du peuple qu'il avait une fois pour toutes adopté, durèrent donc quarante ans[l]. **13.** C'est alors que la loi fut divinement promulguée, afin que, par sa publication, elle apporte non pas une nouveauté au niveau des commandements, mais la restauration de la justice naturelle, et ainsi, ce que seulement peu d'hommes, et des sages, savaient auparavant, tous désormais le verraient et le liraient, et l'ignorance n'aurait pas d'occasion de s'excuser, puisqu'on n'aurait pas à chercher par sa seule pensée, mais qu'on reconnaîtrait par la vue ce qu'on ne sent peut-être pas être inné en soi-même.

de pierre écrites de la main de Dieu, et avait surpris le peuple adonné au goût du luxe et au sacrilège, il brisa ces tables, jugeant que la nation à laquelle la loi du Seigneur était transmise en était indigne.»

XX. *Si lex plus adtulit hominibus quam natura*

APOLL. PHILOS. **1.** Haerere naturaliter humanis sensibus legem et inesse omnibus intellectum, quid noceat ac prosit, quid aequum aut iniustum sit, aperta cognitio est, quando 5 et diligere propria scimus, et odisse contraria, ac simul placita alii praestare sit bonitas, et rursum improbitas alii quae displiceant irrogare. **2.** Vnde quid amplius lex per Moysen lata detulerit, quam natura tradiderat, nisi edictorum qualitas exponatur, intellegere non possum.

10 ZACH. CHR. **3.** Dei agnitio et cum dilectione formido lex prima est. Deum enim nosse quid prodest, si diligere ac timere non cordi est? Consummatus deinde iustitiae ordo subsequitur : studere pietati, et in obseruantias bonorum operum mentis puritate transcendere. **4.** Inest praeterea 15 praesens poena commissis, et piacula iunguntur offensis, summaque edictorum conclusione praecipitur ne alii facias quod fieri tibi nolis, et rursum ut alii facias quod fieri tibi uelis[a]. **5.** Creatio perinde mundi huius inserta est, et hanc elementorum conspirationem idem, qui ex nihilo 20 fecerat, fabricator exposuit, sui indicans operis quae illi coaeterna humanus error inuexit.

6. Post Moysen currentibus temporum spatiis, cum per abusionem salutarium praeceptorum idolorum cultus

XX, 3 prosit aut noceat CM || 4 cogitatio P || 5 propria : prospera κ || 6 sit : sic V || 8 detulerat B^{ac} || 10 dilectatione L lectione C leccione P || 13 obseruantia BL -tiam T || 16-17 aliis... aliis *edd.* || 19 qui ex : quod de C

XX. a. *Cf.* Matth. 7,12

1. La loi mosaïque, dont une partie au moins contient des préceptes qui justifient, apporte réellement ici des commandements nouveaux par rapport à la nature telle que le païen la conçoit (*natura*) à la manière de Cicéron, mais n'en apporte pas par rapport à la *iustitia naturalis* dont parle le chrétien (I, 19, 13) et dont l'œuvre de Moïse comporte la réparation.

XX. Si la loi a apporté aux hommes plus que la nature

APOLLONIUS. **1.** Qu'une loi est naturellement attachée aux esprits humains et qu'en tous les hommes se trouve la notion de ce qui est nuisible et utile, juste ou injuste, c'est là une connaissance évidente, puisque nous savons aimer notre bien propre et détester ce qui lui est contraire, et que nous savons aussi que la bonté consiste à offrir à autrui ce qui est plaisant, et, à l'inverse, la méchanceté à infliger à autrui ce qui est déplaisant. **2.** Par conséquent, ce que la loi apportée par Moïse a amené en plus de ce que la nature[1] avait remis, à moins que tu ne m'exposes le contenu de ses prescriptions, je ne peux pas le comprendre.

ZACHÉE. **3.** La connaissance et la crainte de Dieu dans l'amour, c'est la première loi[2]. En effet, à quoi sert-il de connaître Dieu, si l'on n'a pas à cœur de l'aimer et de le craindre? Ensuite vient la démarche parfaite de la justice : rechercher la droiture et s'élever, par la pureté de l'esprit, à l'observance des bonnes œuvres. **4.** Par ailleurs, les crimes sont suivis d'un châtiment immédiat, des expiations sont attachées aux offenses, et la conclusion la plus importante des commandements prescrit de ne pas faire à autrui ce qu'on ne veut pas qu'on nous fasse, et inversement, de faire à autrui ce qu'on veut qu'on nous fasse[a]. **5.** De même, la création de notre monde fut inscrite dans la loi, et cette harmonie des éléments, celui qui l'avait faite à partir de rien, son ouvrier, l'enseigna en montrant que ce que l'erreur humaine a affirmé coéternel à lui-même appartient à son œuvre.

6. Après Moïse, au cours des temps qui suivirent, comme le culte des idoles croissait à cause du mépris

2. Cf. LACT., *Inst.*, VI, 9, 1 (*CSEL* 19, p. 509) : «Le premier chapitre de cette loi consiste à connaître Dieu lui-même, à lui obéir à lui seul, à lui rendre un culte à lui seul.»

incresceret, additur frequens increpatio prophetarum, et
25 aduentum Christi, quem iam experti sumus, et nunc opperimur, multa curationum genera denuntiant ac praecedunt.
7. Deus enim, ne uel raro uindicet, saepius comminatur, irae caelestis seueritatem timeri magis quam exseri cupiens.
8. At contra Iudaeorum contumax natio non solum corrigi
30 detrectat, sed argui dedignatur, deique imperio missos prophetas diuersis multauere suppliciis, ut humanarum superstitionum traditio praesumptis honoribus non careret, intentiosa prauitate designans dei se forsitan praesentia corrigendos, quem tamen postea trucidantes post signa
35 atque uirtutes credere noluerunt, cum et uenturum scissent, et uenisse cognoscerent.

XXI. Quare salus hominum tam tarde aduenerit

APOLL. PHILOS. **1.** Si igitur tam necessarius aduentus illius fuit ut per se formam iustitiae praebiturus pati pro omnibus non recusaret, in morte propria spem nouae resurrectionis
5 ostendens, cur et dei beneficium et salus hominum tantorum temporum dilatione tardata est?

ZACH. CHR. **2.** Grandi, ut inspicere potuisti, dispensatione dei, humanum a principio genus tutatum semper est atque seruatum, et si breuiter summa perstringas,
10 uidebis ad hoc diuinae prouidentiae ordinem cucurisse ne iusto iudicio dei necesse esset homines aboleri.

24 prophetorum C ‖ 27 ne *om.* CP ‖ 28 exseri : exerceri CM[sec.m.] P a^1 ‖ 34 cruci dantes VLT a^2gm

XXI, 4 mortem propriam B[ac]V LT ‖ 5 et[1] *om.* P ‖ 7-8 grandis... dispensatio κ a^1 ‖ 8 tutata κ a^1 ‖ 9 est *om.* C ‖ seruatum : seruauit κ a^1 ‖ et : ut CP a^1 adque T ‖ praestringas T ‖ 10 uides κ a^1 ‖ concurrisse $a^{1\text{-}2}gm$

1. Cf. IR., *Haer.*, IV, 38, 1-2 (*SC* 100, p. 943-951); TERT., *Marc.*, V, 4, 2-3 (*CCSL* 1, p. 672); EUS., *H.e.*, I, 2, 17 (*SC* 31, p. 10); AMBROSIASTER,

des commandements salutaires, les avertissements fréquemment donnés par les prophètes viennent encore s'ajouter, et toutes sortes de guérisons annoncent et précèdent la venue du Christ dont nous avons déjà fait l'expérience et celle que, maintenant, nous attendons. **7.** En effet, Dieu, pour ne pas châtier, même rarement, menace plus fréquemment, car il désire que la sévérité de la colère céleste soit davantage crainte que manifestée. **8.** Mais la nation rebelle des juifs, au contraire, refuse non seulement d'être corrigée, mais n'accepte pas d'être accusée, et les prophètes envoyés sur l'ordre de Dieu furent frappés par eux de divers supplices, – afin que la transmission des superstitions humaines continue d'être l'objet de vains honneurs – cela alors qu'ils faisaient savoir avec leur perversité obstinée qu'ils devraient peut-être se corriger grâce à la présence de Dieu, qu'ils ne voulurent pourtant pas croire, en le mettant plus tard à mort, après ses signes et ses œuvres de puissance, bien qu'ils aient su qu'il viendrait et reconnaissent qu'il était venu.

XXI. Pourquoi le salut des hommes est venu si tard[1]

APOLLONIUS. **1.** Si donc sa venue était si nécessaire que, pour offrir par lui-même la règle de la justice, il n'a pas refusé de souffrir pour tous, en montrant dans sa propre mort l'espérance d'une nouvelle résurrection, pourquoi ce bienfait de Dieu et le salut de l'humanité ont-ils été retardés durant si longtemps?

ZACHÉE. **2.** Comme tu as pu le voir, le genre humain a toujours été protégé et préservé depuis le commencement par le grand dessein de Dieu, et si tu touches brièvement à l'essentiel, tu verras que la démarche de la divine providence a concouru à ce qu'il ne soit pas nécessaire de supprimer les hommes par un juste jugement de

Quaest. 83 (*CSEL* 50, p. 140); AUG., *Quaest.* 44 (*BA* 10, p. 116).

3. Potuit enim mortis sententia in prima statim transgressione compleri, ut temeratores punirentur edicti. Et tamen pro ratione paenitentiae uiuendi tempus indultum
15 est. **4.** Subcrescentibus postea sceleribus terra corrumpitur, sed ita pollutio eluitur elementi, ut per Noe humani generis reliquiae reseruentur. **5.** Post diluuium ualida iam et multiplex manus in aedificationem turris insurgit, et non extinguitur pro immanitate ausi, sed, ut corrigi possit,
20 cum admiratione dispergitur. **6.** Postmodum non cessante perfidia, sicut Noe in diluuio ob generationem, ita Abraham ad propagandam fidem in quadam uitiorum inundatione secernitur. **7.** Multiplicatus per eius progeniem populus Aegyptiorum contagione polluitur, et ad dei
25 cultum non iudicii seueritate, sed beneficiis signisque reuocatur. **8.** Iterum in heremo deos sculptiles faciundo a uero creatore discedunt : tamquam tunc primum factis hominibus aut in sensu non habentibus legem, lex dei sermone conscripta Moyse deferente transmittitur.

30 **9.** Cum uero nihilominus impietas serperet, praedicatio adiungitur prophetarum, et interiectis temporibus diuina sollicitudo semper in speculis aut ab errore prohibet, aut mediocriter uindicans uiuentes in errore castigat. **10.** Ipse ad extremum caeli terraeque et hominis conditor, uelut
35 magnae familiae dominus, fidelibus famulis ante praemissis, potentiae suae largitur aduentum, adsumptionem

14 tamen *om.* V ‖ 16 eluetur P deluitur B ‖ 22 propagandum P ‖ quandam LT ‖ 23 multiplicatur CP ‖ 24 aegyptiorum – polluitur *om.* CP ‖ 25 non : + in V ‖ iudicio uel seueritate CP ‖ 26 faciundo a : -ciendo a P faciunt dum a β ‖ 27 tunc : tum CP ‖ 32 sollicitudo : prouidentia M[pr.m.] *a*[1] *mg.* sollicitudo M[sec.m] s- + prouidentia C ‖ 36 largitus κ *a*[1]

Dieu. **3.** En effet, la sentence de mort aurait pu être exécutée lors de la première transgression déjà, pour que ceux qui violèrent le commandement soient punis. Mais pourtant, pour qu'ils fassent pénitence, le temps de vivre leur a été accordé. **4.** Plus tard, par la recrudescence des crimes, la terre est corrompue, mais la souillure de cet élément est purifiée de manière que, grâce à Noé, des restes du genre humain soient conservés. **5.** Après le déluge, une troupe déjà puissante et nombreuse se soulève pour construire la tour, et pourtant, elle n'est pas anéantie à cause de la monstruosité de son entreprise, mais, afin de pouvoir être corrigée, elle est dispersée d'une manière admirable. **6.** Ensuite, comme la perversion ne cessait pas, à l'exemple de Noé destiné à la procréation au temps du déluge, c'est Abraham qui est mis à part pour la propagation de la foi au milieu d'un débordement de vices. **7.** Le peuple, qui s'était multiplié grâce à sa descendance, est souillé par le contact des Égyptiens, et n'est pas rappelé au culte de Dieu par un châtiment sévère, mais par des bienfaits et des signes. **8.** A nouveau, dans le désert, en faisant des dieux sculptés, ils s'éloignent du vrai créateur : alors, comme à des hommes qui seraient créés pour la première fois et qui n'auraient pas de loi dans leur pensée, la loi de Dieu, écrite dans un langage humain, leur est transmise par l'intermédiaire de Moïse.

9. Mais comme l'impiété ne se répandait pas moins, s'ajoute encore la prédication des prophètes, et, après avoir laissé passer un certain temps, la sollicitude divine, toujours aux aguets, éloigne de l'erreur, ou, en les châtiant modérément, punit ceux qui vivaient dans l'erreur. **10.** Enfin, le créateur du ciel, de la terre et de l'homme, comme le maître d'une grande maisonnée, après avoir envoyé avant lui ses fidèles serviteurs, accorde lui-même la venue de sa propre puissance, en ne dédaignant pas d'assumer un corps terrestre pour le salut des hommes,

terreni corporis pro hominum salute non spernens, atque in ipsum, quem induit, crucis passionem mortemque conuertens, et plenitudinem legis exhibuit et salutis.
40 **11.** Quaeris cur ante non uenerit? Nonne in promptu est, tardari debuisse postrema finemque differi, ut plenitudinem iustitiae plenitudo temporum custodiret[a], et inter traditionem ac iudicium per prolixitatem abolitio non auferret quod magna dei dignatio praestitisset? **12.** Si enim
45 uel mediis uel quibuscumque ante temporibus Christus uenisset, iam non sola abusio fidem, sed cum abusione tulisset et obliuio, nullaque iustitiae cura hominum corda morderet, quoniam difficilius antiquis credendum esset exemplis, cum uix recentibus fides detur. **13.** Ecce adhuc
50 dominicae crucis ac mortis indicia felicis sepulcri exuuiae continent, et signatus a praesenti multitudine locus post resurrectionis uisum caelestem testatur ascensum. **14.** Pene adhuc solo resident pedum pressa uestigia, ac lustratae operibus regiones uirtutum exempla demonstrant; et a
55 multis Christus aut, quia fuit mortuus, deus esse non aestimatur, aut, quoniam sit deus, fuisse mortuus et post mortem resurgere potuisse non creditur, cum praeter cetera et mors hominem probet, et resurrectio deum. **15.** Extant praeterea apostolicae conuersationis actus, et formam ius-
60 titiae sequi pene ut a praesentibus edocemur, cum ea quae fecisse legimus uiuos, etiam ante defunctorum cineres

38 ipsum quem : ipsam quam B id ipsum quem P || induit : + carnem B[sec.m.] || 43 ac : et CM || 44 dei *om.* *β* || 46 abusio – cum *om.* *β* || abusione : + factum B[sec.m.] || 46-47 iam – tulisset *om.* P || 47 et *om.* *β* || 50 dominicae : diuinae *β* || 52 poene P *a*[1] || 53 residente P residendi C || 60 ut : cum C || 61 etiam : iam L

XXI. a. *Cf.* Gal. 4,4

1. Il faut sous-entendre *hominem* après *ipsum*.

puis, en faisant passer sur l'humanité[1] dont il se revêtit la souffrance et la mort de la croix, il manifesta la plénitude de la loi et du salut.

11. Tu demandes pourquoi il n'est pas venu avant? Mais n'est-il pas évident que les derniers temps ont dû être retardés et la fin remise à plus tard, pour que la plénitude des temps contienne la plénitude de la justice[a], et pour qu'entre son enseignement et le jugement, aucune destruction qui serait due à un long délai ne supprime ce que, dans une grande faveur, Dieu nous avait accordé? **12.** En effet, si le Christ était venu à une époque intermédiaire ou quelques temps auparavant, ce n'est pas seulement le mépris qui aurait supprimé la foi, mais avec le mépris, c'est aussi l'oubli qui l'aurait supprimée, et aucune préoccupation de justice ne tourmenterait plus le cœur des hommes, car il serait trop difficile de croire à des enseignements anciens, alors qu'on accorde tout juste foi aux enseignements récents. **13.** Voici que les vêtements de son bienheureux sépulcre contiennent encore les indices de la croix et de la mort du Seigneur, et qu'un endroit marqué par la multitude qui y est présente témoigne de son ascension au ciel qui se produisit après qu'on eut constaté sa résurrection. **14.** Les traces de ses pas demeurent presque encore imprimées dans le sol, et les régions purifiées par ses œuvres fournissent des exemples de ses puissances; et pourtant, beaucoup ne tiennent pas le Christ pour Dieu parce qu'il a connu la mort, ou bien, sous prétexte qu'il est Dieu, ne croient pas qu'il ait connu la mort et ait pu ressusciter après sa mort, alors que c'est notamment sa mort qui le prouve homme et sa résurrection Dieu. **15.** En outre, les actes de la vie des apôtres existent encore, et c'est presque comme s'ils étaient présents qu'ils nous enseignent à suivre la règle de la justice, puisque ce que nous lisons qu'ils ont fait de leur vivant, nous le voyons souvent

fieri saepe uideamus. **16.** Vix propinquitate finis et instantis examinis terrore compellimur relictis idolis ueram colere diuinitatem, et inter primum, quem nouimus, ac
65 secundum Christi, quem expectamus, aduentum, breuitate salutari atque ipsis temporum artamur angustiis nec obliuionem admittere praeceptorum, nec promissae beatitudinis desperare prouentum. **17.** Necessarium ergo uides fuisse ut in conclusione saeculorum nec periclitari fidem
70 sineret propinquitas aduentus alterius, et seruari iustitiam imminens iudicii terror exigeret, praecipue cum maxima esset et perfecta delaturus, et quae perfecta sunt, nisi postrema esse non possint[b]. **18.** Videto enim quantos anterior illius saluasset aduentus : plures certe, quam nunc
75 faciet, cum a fide inuenerit alienos, posterior perdidisset, quoniam quem talium curationum remedia non sanarint, denuntiati examinis ordo damnabit; parque in desperationem perpetuitatis esse expectatio potest, deum per legem scire, et nolle iustitiam, quam ea agere quae ius-
80 titiae uideantur, et deum per legem nolle cognoscere.

XXII. Si praefinita consummatio sit, an ordo exhibeat finem

APOLL. PHILOS. **1.** Non ignoramus animas depositis corporibus ad deum, id est, ad auctorem proprium remeare,
5 sed in his prius contractam humanis actibus labem aetherio

62 saepius B || 69 in conclusione : in conclusionem B[ac]V interclusione *edd.* || finem *a*[2]*gm mo* || 72 sunt *om.* *β* || 73 possunt LT P *a*[1] possent C || uidero *codd. mo* || quantos : quos L || 74 anterior : antepríor *κ* || 76 quem : quae V LT || 79 et : + operari B[sec.m.]
XXII, 3-4 animas *transp. post* deum CP

b. *Cf.* I Cor. 13,10

s'accomplir aussi devant leurs restes funéraires. **16.** Nous sommes difficilement poussés par la proximité de la fin et par la crainte du jugement qui approche à adorer le vrai Dieu après avoir abandonné les idoles, et entre la première venue du Christ, que nous connaissons, et la seconde, que nous attendons, nous sommes astreints par une brièveté salutaire et par un temps raccourci à ne pas tolérer l'oubli des commandements et à ne pas désespérer de la venue de la béatitude promise. **17.** Tu vois donc qu'il a été nécessaire que la proximité de sa seconde venue ne permette pas la disparition de la foi au terme des siècles, et que la terreur devant la menace du jugement réclame le respect de la justice, surtout du fait que le Christ allait apporter ce qui est le plus élevé et la perfection, et que ce qui est parfait ne pourrait pas exister à moins de venir en dernier lieu[b]. **18.** Vois, en effet, combien une venue plus précoce du Christ en aurait sauvé : en tout cas sa seconde venue en aurait alors perdu un plus grand nombre que ceux qu'elle perdra dans la situation présente, quand elle les aura trouvés étrangers à la foi, car celui que les soins de ces traitements n'auront pas guéri, le déroulement de l'épreuve annoncée le damnera ; et on peut s'attendre au même désespoir éternel en connaissant Dieu par sa loi sans vouloir la justice, ou en faisant ce qui semble relever de la justice sans vouloir connaître Dieu par sa loi.

XXII. S'il y a une consommation de toutes choses fixée par avance, ou si c'est la succession des êtres les uns aux autres qui amène leur fin

APOLLONIUS. **1.** Nous n'ignorons pas que les âmes, après avoir quitté leurs corps, retournent à Dieu, c'est-à-dire à leur auteur propre, mais que la souillure qu'elles ont contractée auparavant dans ces corps par les actes humains est purifiée par le feu de l'éther, si bien qu'elles sont à

igne purgari, ut deo iterum, ex quo utique sunt, purae ac simplices misceantur. **2.** Vnde si hoc forte iudicium uultis uideri, non praefinita uniuersorum consummatio efficit finem, sed ordo decedentium.

10 ZACH. CHR. **3.** Tota in errore est uestra definitio. Nam quemadmodum animae hominum iudicium susciperent, si ex deo essent? Simplex enim substantia diuinitatis non purgatur, quia nec pollui potest. **4.** Necesse est enim ut purgatio passione non careat, quam, sicut scimus, sub-
15 stantia diuina non recipit. **5.** Animae ergo hominum non ex deo sunt, sed a deo factae, et opus creatoris, non consortes diuinitatis. **6.** Cum uero praedicti iudicii tempus aduenerit, defuncta quamlibet olim recepturae sunt corpora, ut cum hisdem aut iuste acta percipiant, aut
20 inique perpetrata patiantur. **7.** Christus autem manifeste iterum de caelestibus ueniet. Illius coram tribunali adstabimus, illius sententia uniuersorum merita pensabuntur, et, qui sub iudicio passus est, iudicabit, nulla iniquitatis uestigia relicturus, cum et fidelibus immortalitatem reddet
25 in regno, et incredulis perpetuum in dolore cruciatum.

XXIII. Si corpora reformentur in resurrectionem

APOLL. PHILOS. **1.** Hocine etiam adseri a sapientibus potest antiquas mortuorum fauillas, et in sepulcris saeculorum aetate consumptis uix ossium cinerem residentem,

6 purae : + iterum CP || 8 uult L || 9 effecit LT || 10 tota : nota V || 10-11 uestra – quemadmodum : modum CP || 12 enim : autem C *om.* P || 14 scimus : diximus B || 15 recepit T || 16 ex : de κ || factae : + sunt P || 18 quamlibet : quaelibet κ $a^{1\text{-}2}gm$ || receptura B T κ a^1 recepturi L || 19 cum : in κ || 21 coram *om.* κ || tribunal LT || 24 reddat β P $a^{1\text{-}2}gm$

XXIII, 2 hocine etiam : hocquinetiam B hoc nec etiam CM || a *om.* T || 4 consumptas B

nouveau mélangées, pures et simples, à Dieu, duquel elles sortent sans aucun doute. **2.** Si donc vous voulez peut-être que l'on considère ce dont je viens de parler comme un jugement, ce n'est pas une consommation de toutes choses fixée par avance qui produit la fin, mais la succession des êtres qui disparaissent.

ZACHÉE. **3.** Votre position est totalement dans l'erreur. De fait, comment les âmes des hommes pourraient-elles recevoir un jugement, si elles sortaient de Dieu lui-même? En effet, la substance simple de la divinité n'est pas purifiée, parce qu'elle ne peut pas être souillée. **4.** Car il est nécessaire que la purification s'exerce sur une passion, que, comme nous le savons, la substance divine n'admet pas. **5.** Donc les âmes des hommes ne sortent pas de Dieu même, mais sont faites par Dieu : œuvres du créateur, elles ne partagent pas sa divinité. **6.** Quand le temps du jugement dont j'ai parlé sera venu, elles recevront à nouveau leurs corps, même s'ils sont morts depuis longtemps, pour qu'avec ces mêmes corps elles jouissent de ce qu'elles ont accompli avec justice, ou souffrent de ce qu'elles ont commis avec iniquité. **7.** Mais le Christ reviendra solennellement, descendant du ciel. Nous serons présents devant son tribunal, c'est par son verdict que les mérites de tous seront soupesés, et lui, qui a souffert sous le jugement, il jugera sans négliger aucune trace d'iniquité, en rendant, dans son Royaume, l'immortalité aux fidèles, et aux incrédules un tourment et une douleur perpétuels.

XXIII. Si les corps seront reconstitués à la résurrection

APOLLONIUS. **1.** Des sages peuvent-ils également dire que les antiques cendres des morts et les petits restes d'os résidant dans les tombeaux usés au cours des siècles

5 rursum in corpora posse componi, ac pristinum membrorum uigorem dubii pulueris collectione solidari? **2.** Vnde animas cuilibet iudicio subdi posse facilius adquiescam, quam mortuorum corpora in uitae ordinem posse reuocari.

10 ZACH. CHR. **3.** Et admonitionis meae et tuae sponsionis oblitus es, si deo aliquid impossibile contendis. **4.** Qui igitur quod non erat fecit ut esset, ergo ut sit quod fuerit non potest facere? Aut non etiam nobis difficilius est facere quod non fuerit, quam reparare quod fuerit? **5.** Sed 15 hanc dei possibilitatem aestimatio humana non capiat, si hoc praesentes non edocent creaturae, si tempora specierum uarietate non signant. **6.** Diuersae arbores hiemis rigore nudantur, et decussis foliis perisse cum gratia spem germinum credas. **7.** At ubi lenius ueris tempus adflauerit, 20 mirum in modum humor radicibus tentus celsa conscendit, candorem cum specie, quem in ligno non habuerat, in floribus creans; fructus adiciuntur in pomis, et quidam uestitus in foliis, quodque in arbore non erat uidetur in tempore. **8.** Quid? Iacta in agris semina non plenam fidem 25 resurrectionis ostendunt? **9.** Aperiuntur terrae uiscera ut nuda sulcis grana mandentur. Quod humus non texerit uires non habet renascendi. **10.** Vide etiam in paruis potentiam creatoris : nisi putruerint semina, non resurgunt, et nisi prius mortua non uiuescunt. **11.** Numquid sulcis

7 subici B || 9 posse *om.* V || 10 et[1] : ut V || 11 es : + de resurrectione κ *a*[1] || 12 ut esset *om.* B LT κ *a*[1] || fuerat *a*[1-2]*gm* || 13 aut : an CM || est *om.* C || 14 fuerit[1] : erit C || fuerit[2] : fuit P || 15 capit P *a*[1] capiet V || 19 afflauit *gm* || 21 cum *om.* CM || 24 iacta *om.* C || non : nonne LT *a*[1] || 26 grana : gramina V || mundentur P || 27 uide : unde CP *a*[1-2]*gm* || 28 creatoris : + considera CM *a*[1-2]*gm* || 29 uiuiscunt B[pc] LT reuiuiscunt *a*[1-2]*gm* uirescunt V

1. Cf. *CZA* I, 7, 4.
2. Cf. *CZA* I, 8, 1.

peuvent être à nouveau composés en forme de corps et l'ancienne vigueur de leurs membres être consolidée par la réunion d'une poussière d'origine douteuse? **2.** Dans ces conditions, j'admettrais plus facilement que les âmes puissent être soumises à n'importe quel jugement plutôt que les corps des morts rappelés à la vie.

ZACHÉE. **3.** Tu as oublié et mon avertissement[1] et ta promesse[2], si tu prétends que quelque chose est impossible à Dieu. **4.** Donc celui qui a fait que fût ce qui n'était pas n'est-il pas par conséquent capable de faire que soit ce qui a été? et à nous aussi, ne nous est-il pas plus difficile de faire ce qui n'a pas été que de restaurer ce qui a été? **5.** Mais cette puissance de Dieu, le jugement humain ne peut pas la saisir si les créatures qui nous entourent ne la lui enseignent pas, si les saisons, par la diversité de leurs formes, ne la lui manifestent pas. **6.** Les différents arbres sont dénudés par la rigueur de l'hiver, et dès que les feuilles sont tombées, on pourrait croire que l'espérance des bourgeons est morte en même temps que la beauté. **7.** Mais quand la saison plus douce du printemps s'est mise à souffler, d'une façon extraordinaire, la sève contenue dans les racines monte vers les sommets, créant dans les fleurs un éclat d'une beauté qu'elle n'avait pas eue alors qu'elle était dans le tronc; des récoltes de fruits apparaissent, ainsi qu'un vêtement de feuilles, et ce qui n'était pas dans l'arbre se montre au moment opportun. **8.** Et quoi? Les semences jetées dans les champs ne démontrent-elles pas notre foi pleine et entière en la résurrection? **9.** On ouvre les entrailles de la terre pour confier aux sillons de simples graines. Ce que la terre n'a pas recouvert n'a pas la force de renaître. **10.** Vois, même dans les petites choses, la puissance du créateur: si les semences n'ont pas pourri, elles ne se relèvent pas, et à moins d'être mortes, elles ne revivent pas. **11.** Serait-ce des plantes vertes qu'on met

30 uirentia sunt demersa, aut cum calamis operta latuerunt? **12.** Vnde ergo in uno multiplex semen? Vnde cum aristis nouus palearum candor emergit? **13.** Quo pacto ex radice uis germinis scandit in spicas, uel quemadmodum postea ex uiridibus herbis alba mollities mutatur in farra?
35 **14.** Quae certe similiter fieri posse non crederes, nisi semper uideres. **15.** Quod ergo in his, quae ad uictum hominis pertinent, ut ab initio deus statuit, terra sic reddit, in ipsius hominis reparatione non faciet? **16.** Qui mirabilium dei testis effectus, in se necesse est post resur-
40 rectionem maxime stupeat quod in subiectis ante laudauit? **17.** Vnde horum omnium ratione perspecta, defunctorum cinerem uel fauillas semen corporum esse non nescias, ex quo in aduentum maiestatis suae Christus secundum merita excitabit et formas. **18.** Parum est enim
45 diuinae clementiae species tantum reparare quae fuerint, nisi et bonorum corpora splendor exornet, et malorum confusio deformitatis obscuret.

31 in : ex LT CP *a*[1] || 32-33 quo – spicas *om.* P || 34 alba *om.* P || 36 ergo : uero C || quae : qui C || 39 effectus : + est *a*[2]*gm* || 40 maxime : magis BV || 41 perspecta : perfecta CP || 42 cineres *edd.* || 43 aduentu B || 46 corporum C

---

1. L'analogie de la semence appliquée à la résurrection (cf. *I Cor.* 15, 35 s.) montre qu'il admet sans doute, avec la tradition latine passant par Tertullien (cf. *Res.,* 12) une certaine identité du corps terrestre et du corps ressuscité. Pourtant, en parlant des *formae* que recevra la semence de nos corps d'ici-bas, ou encore de la *splendor* de ces derniers (parag. 18), il laisse entendre qu'ils seront transformés. Voir *CZA* I, 26, 5 : le monde futur dans lequel ils vivront sera incorruptible et invisible.

sous terre dans les sillons, ou encore ces plantes sont-elles cachées, recouvertes avec leurs tiges? **12.** Pourquoi donc en un seul être la semence est-elle multiple? Pourquoi l'éclat nouveau de la paille apparaît-il en même temps que les barbes des épis? **13.** Comment, à partir de la racine, la force du germe monte-t-elle dans les épis? et comment, plus tard, à partir d'herbes verdoyantes, une substance douce et blanche est-elle changée en farine? **14.** On ne croirait certainement pas non plus que cela peut se produire, si on ne le voyait pas toujours. **15.** Donc ce que la terre fournit, dans le domaine qui concerne la nourriture de l'homme, comme Dieu l'a fixé depuis le commencement, ne le fera-t-elle pas lors de la restauration de l'homme lui-même? **16.** Et celui qui a été rendu témoin des merveilles de Dieu, est-il nécessaire qu'il soit stupéfait de voir réalisé en lui-même, après sa résurrection, cela même qu'avant cette dernière il avait loué dans les choses qui lui étaient soumises? **17.** C'est pourquoi, après avoir reconnu la raison de tout cela, tu ne peux pas ignorer que les restes et les cendres des morts sont la semence des corps, à partir de laquelle le Christ, pour la venue de sa majesté, fera également naître leurs formes[1] selon les mérites. **18.** En effet, c'est bien peu pour la clémence divine de restaurer seulement les figures de ceux qui ont existé, si la gloire ne vient pas encore embellir les corps des bons, et la laideur du défigurement obscurcir ceux des méchants[2].

2. Les corps des damnés n'auront pas la même apparence que ceux des justes : ils ne seront pas glorieux. Sur cette position, voir Or., *Princ.*, II, 10, 8 (*SC* 252, p. 393); Hil., *In Psalm.*, LII, 17 (*PL* 9, 334C), qui cite *Dan.* 12, 2 : *Resurgent alii quidem in uitam, alii autem in confusionem aeternam*, verset aussi à l'arrière-plan dans ce passage (*confusio deformitatis*).

XXIV. De neglectis et a bestiis deuoratis

APOLL. PHILOS. **1.** Pone interim quod de sepulcris tamquam ex notis sedibus mortuorum fauillae reparentur in corpora, et, quia condita membra sua animae nouerint, ex hisdem locis confidenter reposcant : quid eos, qui fluctibus mersi sunt bellisque prostrati, et post latronum caedes funeribus caruerunt, escis, non sepulcris membra linquentes? **2.** Numquid credibile est in eadem quae habuerint corpora posse restitui, cum etiam reliquiae cinerum non queant inueniri?

ZACH. CHR. **3.** Si deum posse omnia crederes, hoc denique factu facile iudicares, neque humana disputatione discerneres utrum fieri possit quod faciundum ille dixisset. **4.** Et ideo fides summum prae bonis omnibus meritum est quia, quae deus dixerit, implenda non dubitat. **5.** Rei autem huius haec ratio est. Elementa omnia cunctaeque creaturae nullo quidem nobis sensu intellectuque respondent, et ad obseruantiam tantum proprii ministerii uidentur bruta subsistere, quoniam uel indigni eorum imperio sumus, uel mundi arcana nescimus. **6.** Deum autem et intellegunt et uerentur, atque ita iussis illius obsecundant, ut ad nutum praecepta mox impleant. **7.** Quaelibet ergo exesis corporibus, piscium, bestiarum alituumque digestio aut aquis miscetur, aut terris, nec fieri ullo pacto potest, ut ex eo quod qualitercumque substi-

XXIV, 2 interim : iterum *β* || de : e *κ* || 4 conditas *κ* || membra *om.* *κ* || sua *om.* LT *κ* a^1 || 5 locis... reposcant : sedibus locos... reposcunt V || 7 funeribus : exequiis funebribus LT $a^{1\text{-}2}gm$ || 9 habuerunt T habuere B L || 12 factu : facto $B^{pr.m.}$ + uel factu $B^{sec.m.}$ factum P facito V || facile *om.* C || 14 et *om.* *β* || 15 dixerat P || 23 quaelibet ergo : quamlibet BV || 24 alitumque B *κ* *edd.*

---

1. Cf. ATHEN., *Res.*, 4, 1 et TERT., *Res.*, 4, 1-7 (*CCSL* 2, p. 925-926).

XXIV. De ceux qui ont été abandonnés et dévorés par les bêtes

APOLLONIUS. **1.** Admets provisoirement qu'à partir de leurs tombeaux, comme s'il s'agissait de leurs demeures reconnues, les cendres des morts sont reconstituées en corps, et que, parce que les âmes ont reconnu leurs membres enterrés, elles les réclament en toute confiance à ces lieux-là : mais qu'en est-il de ceux qui furent noyés par les flots et périrent dans les guerres, ou furent privés de sépulture après avoir été massacrés par des brigands, abandonnant leurs membres en nourriture aux bêtes et non à des tombeaux? **2.** Est-il croyable qu'ils puissent être restitués dans les corps mêmes qu'ils ont eus, alors qu'on ne peut même pas retrouver les restes de leurs dépouilles[1]?

ZACHÉE. **3.** Si tu croyais que Dieu peut tout, tu croirais que, finalement, cela lui est facile à faire, et tu ne chercherais pas à savoir, par une discussion humaine, si ce qu'il a affirmé comme devant se produire peut se produire. **4.** Et si la foi est le mérite suprême qui passe avant tous les autres biens, c'est qu'elle ne doute pas que ce que Dieu a dit doit s'accomplir. **5.** Mais voici l'explication du fait en question. Aucun des éléments et aucune de toutes les autres créatures ne nous correspond certes par la pensée et par l'intelligence, et ils semblent exister, sans faculté rationnelle, seulement pour accomplir une tâche qui leur est propre, puisque nous sommes indignes de les tenir sous notre souveraineté, et que nous ignorons les secrets du monde. **6.** Mais ils reconnaissent Dieu et le craignent, et ils obéissent si bien à ses ordres qu'au moindre signe, ils accomplissent aussitôt ses commandements. **7.** Donc, même si les corps humains ont été dévorés, les excréments des poissons, des bêtes et des oiseaux sont soit mélangés à l'eau, soit à la terre, et il ne peut en aucune façon se faire qu'à partir de ce qui aura subsisté d'une manière ou d'une autre, il ne

terit, nihil restet, sed pretiosiorem materiem, quacumque deciderit, haec duo elementa conseruant, et in se uelut speciali colore distinctam resurrectioni redditura custodiunt, nec residere umquam uelut perditum poterit quod 30 et diuinitus inquirendum est, et sponte prometur. **8.** Sic famulantibus cunctis dispersorum uiscerum reliquiae in suam formam corpusque rediturae sunt, ita ut in resurrectionis miraculo inde fidei meritum credentibus augeatur, unde aliis incredulitatis augmentum est.

XXV. Quomodo moles caeli aut facta sit, aut fine praetereat

APOLL. PHILOS. **1.** Iam dudum in hoc tractatus tui tendit intentio, ut, cum elementa singula ex nihilo facta com- 5 memores, etiam mundum, quem ex semetipso esse, et sua credimus aeternitate mansurum, et initio minuas, et fine concludas. **2.** Ac licet adsertionis tuae ordinem teneam, quo factum a deo in praecedentibus meministi, quemadmodum tamen inexplicabilis poli molem aut factam 10 credi uelis, aut sicut nunc est non semper futuram, ratione confirma.

ZACH. CHR. **3.** Omnia igitur elementa, quae uos deo uelut coaeterna numeratis, ab ipso, sicut iam dixi, et ex nihilo facta sunt, et in hanc mundi formam mirabili conspi- 15 ratione sociata. **4.** Quae, sicut initium ex dei creatione sumpserunt, ita perennitatem eius beneficio consequentur.

26 materiam B LT || 27 conseruent CM *a*[1] || 28 distincta *β* || custodiant CM *a*[1] || 29 umquam : usquam *κ* || 30 est *om.* C || promitur *κ* *a*[1] || 32 ita ut : it et P ut CM || 33 inde : hoc in *β* || merito BV

XXV, 4-5 commemores – esse *om.* L || 6 et[2] : sed L || 8 quo : quod B || 10 futuram : per futurum P || 13 coaeterna : + de elementis *κ* || et *om.* CP || 14-15 comparatione CP

reste rien; mais ces deux éléments conservent cette précieuse matière[1] en quelque endroit qu'elle soit tombée, et la gardent en eux-mêmes, comme si elle était marquée par une couleur spéciale, pour la rendre à la résurrection, sans qu'il soit possible que ce qui doit être recherché par Dieu et apparaîtra spontanément se trouve quelque part en y étant comme perdu. **8.** De cette manière, toutes choses lui étant soumises, les restes des entrailles dispersées reviendront à leur forme et à leur corps; c'est ainsi que le miracle de la résurrection est, pour les croyants, une occasion de voir s'accroître le mérite de leur foi, et, pour les autres, leur incrédulité.

XXV. Comment la masse du ciel a été faite et prendra fin

APOLLONIUS. **1.** Depuis longtemps, la visée de ta discussion, en rappelant que les éléments particuliers ont été créés de rien, tend à réduire même le monde, que nous croyons exister par lui-même et devoir demeurer dans son éternité, en lui imposant un commencement, et à le limiter en lui assignant une fin. **2.** Et, bien que je retienne la ligne générale de ton exposé où tu mentionnes précédemment qu'il a été fait par Dieu, prouve-moi pourtant par la raison comment tu veux qu'on croie tout de même que la masse du firmament infini a été faite ou ne sera pas toujours telle qu'elle est maintenant.

ZACHÉE. **3.** Tous les éléments, dis-je, que vous considérez comme coéternels à Dieu, ont été, comme je l'ai déjà dit, créés par lui à partir de rien et liés par une merveilleuse harmonie pour former la figure de ce monde. **4.** Ces éléments, de la même manière qu'ils ont tiré leur origine de leur création par Dieu, obtiendront aussi grâce

1. Cf. TERT., *Res.*, 55, 12 (*CCSL* 2, p. 1003); AUG., *Enchir.*, 88 (*BA* 9, p. 261).

5. Et ideo ei coaeterna non sunt a quo facta sunt, quia nulli dubium est, auctori quaelibet non solum paria non esse, sed esse subiecta. **6.** Hoc autem intellectui aper-
20 tissime patet, mundum ex pluribus fuisse compositum. Vnde aduerti facile potest, non illi inesse, sed praeesse diuinitatem, quoniam alterius adiumento diuinitas sola non indiget, sed una in se et simplex atque perfecta est, quia incorporalis, et ideo inuisibilis et incorruptibilis deus est.
25 **7.** Quae in huius mundi actu et contemplatione non ita sunt, sed corporalia esse, etiam ea quae ex ipso mundo gignuntur, ostendunt. **8.** Quaecumque praeterea ab eodem uel agi cernimus uel creari sub dispositione diuina, non suae uoluntatis, sed officii sunt. **9.** Aspice transitus solis,
30 lunaeque discursus, et utrique cottidie per uicissitudines temporum uel ortum uel occasum esse repetendum. **10.** Aduentu noctis sol diem perdit, quem tamen nec semper obiectu nubium uelut exclusus illuminat. **11.** Luna sui patitur detrimentum, et plenitudinem luminis sub
35 constitutione rectoris aut perdit, aut recipit; uarius praeterea siderum lapsus et rationi signa famulantia. **12.** Intumescens notis mensibus mare, et sub certa horarum dispensatione excessum modumque custodiens, aut sereno quiescit, aut tempestate turbatur. **13.** Terra imbribus infusa
40 mollitur, eademque rursum aut gelu stringitur, aut calore

17 ei : *om.* B^pr.m.^V LT deo B^sec.m.^ ‖ a quo facta sunt *om.* β ‖ 20 ex : a β ‖ 23 quia : quid quod CP ‖ 24 et² : atque CP ‖ 25 huius modi B^ac^V T huius mo L ‖ et : + in C ‖ 26 ea : ipsa C ‖ ex : ab C ‖ mundo *om.* CP ‖ 28 cernimus : credimus V ‖ 32 nec : non L ‖ 33 exclusum κ *a*¹ ‖ inluminet LT ‖ 35 rectoris : restitutoris BV T ‖ uarios BV ‖ 36 rationi – famulantia *om.* β ‖ famulantia : + et *a*¹⁻²*gm* ‖ 37 dispensatione : dispositione κ

---

1. La croyance populaire de l'Antiquité suivie ici par l'auteur (*e. g.*, PLINE, *Hist. nat.*, II, 41-43) admettait des transformations de la lune elle-même (*luna crescens, minuens, senescens*); cf. W. GUNDEL, art. «Mond», *PW* 16-1 (1933), col. 98-100.

à lui leur perpétuité. **5.** Et ils ne sont pas coéternels à celui par lequel ils ont été faits, car personne ne doute que non seulement ils ne sont pas égaux à leur auteur, mais lui sont soumis. **6.** Par ailleurs, il apparaît tout à fait clairement à notre intelligence que le monde a été composé de plusieurs éléments. C'est pourquoi, il est facile de comprendre que la divinité n'est pas en lui mais au-dessus de lui, puisqu'elle seule n'a pas besoin du secours d'un autre, mais qu'elle est une en elle-même, simple et parfaite, car Dieu est incorporel, et donc invisible et incorruptible. **7.** Il n'en est pas ainsi dans ce que fait ce monde et dans ce que nous en voyons ; au contraire, même ce qui naît à partir du monde lui-même montre son caractère corporel. **8.** En outre, toutes les choses que nous voyons être faites et créées par ce dernier conformément aux dispositions divines ne dépendent pas de leur propre volonté, mais ont une fonction à accomplir. **9.** Considère les passages du soleil et les phases de la lune : tous deux doivent répéter chaque jour au cours des temps leur lever et leur coucher. **10.** A l'arrivée de la nuit, le soleil met fin au jour que pourtant, lorsqu'il est comme chassé par l'interposition des nuages, il n'éclaire pas toujours. **11.** La lune subit une perte en elle-même[1], et, selon l'ordre établi par celui qui dirige tout, elle perd ou reçoit la plénitude de sa lumière ; en outre, les différents cours des astres et les signes célestes sont soumis à une raison. **12.** La mer qui se gonfle au cours de mois bien connus et conserve, selon une organisation bien déterminée des heures, une position excessive ou une position normale, soit se repose par un temps serein ou est agitée par la tempête. **13.** La terre mouillée par les pluies est amollie ou, inversement, elle est durcie par le gel ou séchée par la chaleur et,

siccatur, quin et aspectum dei metuens contremescit, ac se imperio subditam motu fatetur. **14.** Ipsum aerem perniciosior halitus saepe corrumpit, et postquam grauauerit, efficit pestilentem. **15.** Vincuntur piis ad dominum pre-
45 cibus pluuiae, et prolixa rursum serenitas supplicatione mutatur, cunctaque aut impositae seruiunt rationi, aut in usum hominis necessarium sub religiosa deprecatione uertuntur.

16. Haec uos appositis nominibus pro deo singula atque
50 uniuersa ueneramini. **17.** Quod si ita est, falso dii aestimantur, et error in promptu est. Si uero aliquos, qui hisdem ex arbitrio dei praesint, apertae stultitiae est subicienti aequare subiectos. **18.** Dii enim plures non sunt, sed unus nascentium uiuentiumque formator, sicut fecit
55 omnia, et regit, parique imperio uel mansura efficit, uel casura decernit. **19.** Vides ergo deo soli initium non apponendum, a quo omnium processit exordium, nec consempiterna maiestati illius aestimanda quae, ut aeterna sint, sicut de homine, ipse facturus est. **20.** Illo enim adue-
60 niente destructa in melius mutabuntur, ut immortalia cum homine perdurent, quae nunc utique nostris criminibus, licet inuita et gementia[a], aut passione tamen polluuntur

41 quin et : quin etiam CM quia net P n *exp.* || aspectu *gm mo* || 42 muta P || 43 anhelitus B || 44 dominum : deum CP || 47 deprecatione : praedicatione P || 47-48 uertentur P || 52 praesunt V || 54 formator : + est V LT || 55 effecit β || 57 cum sempiterna BV || 58 maiestate... aestimata V || 61 perdurent : perducerent P || utique : itaque C + cum P

XXV. a. *Cf.* Rom. 8,20-22

1. *Destructa in melius mutabuntur.* D'après *CZA* III, 10, 4, qui cite *II Pierre* 3, 10, c'est un embrasement qui détruira les éléments de ce monde. Un monde nouveau en sortira. Voir I, 26, 1 : *aut destrui... aut refici*; cf. G. LADNER, art. « Erneuerung », *RAC* 6 (1966), col. 259-260. La pensée de l'auteur, axée sur un parallèle entre la résurrection du corps de l'homme et la destruction-transformation du monde, semble impliquer également une certaine identité entre notre monde matériel

qui plus est, elle tremble de crainte à la vue de Dieu et reconnaît par son tremblement qu'elle est soumise à sa souveraineté. **14.** L'air lui-même, un souffle mauvais le corrompt souvent et, après l'avoir alourdi, le rend malsain. **15.** Par de pieuses demandes adressées au Seigneur, on vient à bout des pluies, et ces dernières laissent place, moyennant cette supplication, à un calme de longue durée, et toutes choses sont soit au service de la raison qui est au-dessus d'elles, soit consacrées à l'usage indispensable de l'homme sous l'effet d'une prière religieuse.

16. Vous, vous vénérez ces choses-là, individuellement et collectivement, à la place de Dieu, en leur donnant des noms. **17.** S'il en est ainsi, c'est à tort qu'elles sont considérées comme des dieux, et votre erreur est évidente. Mais si vous vénérez quelques dieux qui, de par la volonté de Dieu, leur seraient préposés, c'est une sottise évidente que de mettre sur pied d'égalité ceux qui sont soumis et celui qui les soumet. **18.** En effet, il n'y a pas plusieurs dieux, mais un seul, qui a formé les êtres qui naissent et qui vivent, de même qu'il a tout fait et qu'il dirige tout, et qui, dans une même souveraineté, les fait durer ou décide qu'ils cesseront d'exister. **19.** Tu vois donc qu'à Dieu seul, duquel est venue l'origine de tout, il ne faut pas attribuer un commencement, et qu'il ne faut pas estimer coéternelles à sa majesté les choses dont il va lui-même faire, comme il le fera de l'homme, qu'elles soient éternelles. **20.** En effet, à sa venue, les choses qui auront été détruites seront transformées en mieux[1] afin que, immortelles, elles demeurent avec l'homme, alors qu'elles sont pourtant maintenant tout à fait souillées par nos crimes, même contre leur gré et en gémissant[a], qu'elles les subissent ou qu'elles les voient, puisque celles qui

et le monde futur invisible. La destruction débouchant sur une transformation implique continuité et non anéantissement.

aut uisu quoniam quae a passione immunia sunt, contaminantur aspectu. **21.** Ita fiet ut etiam elementis cum
65 homine in melius innouatis, memoria auctoresque intereant uitiorum, cum etiam illa purgentur quae ingenitam puritatem non factis, sed factorum scientia perdiderunt.

XXVI. Si mundus reparetur in melius

APOLL. PHILOS. **1.** Credi quidem arduum est ut mundus tanta uirtutum admiratione consistens aut destrui umquam possit, aut refici. Sed quia immutandum dei possibilitate
5 confirmas, quid futurum sine illo erit? **2.** Aut qualis reparatio est effectura clariorem, cuius tanta uel magnitudo uel gratia est ut nec magnitudo eius ratione aut notitia deprehendi, nec splendor possit augeri? **3.** Quae ergo super hoc diffinitio uel sententia sit sequenda, promissae
10 instructioni conuenit non sileri.

ZACH. CHR. **4.** Recte quidem dicis, intellectibus nostris ad integrum in dei prouidentia indeprehensibilem esse rationem. Sed praesentis gratiae formam multiplex splendor aucturus est, quoniam longe amplior ei a creatore lux
15 ueniet, quam est ab eodem inserta creaturis. **5.** Ergo inuisibilia metiri ex uisibilibus nos oportet, et incorruptibilia de corruptibilium admiratione pensare. **6.** Iustis autem in gaudia aeterna surgentibus caelum nouum et rudis terra reuelabitur[a]. **7.** Multiplicatum perinde supra solem ex dei

63 quae *om.* P || sunt *om.* C || 65 in *om.* CM || innouatis : inmutatis CM

XXVI, 5 ullo a^2gm || 7 magnitudo *om.* β || ratione aut : ratio β || 9-10 promissam instructionem L || 12 ad integrum *om.* V || 14 ei a : eum P cum β || 16 nos : non B LT || 17 incorruptibilium L || 19 multiplicabitur V || perinde supra : per desuper V

XXVI. a. *Cf.* Apoc. 21,1

sont exemptes de passion sont souillées par ce spectacle. **21.** Ainsi arrivera-t-il, une fois les éléments aussi restaurés en même temps que l'homme en un état meilleur, que le souvenir et les auteurs des vices disparaîtront, étant donné que seront purifiées même les choses qui ont perdu leur pureté innée non dans les faits, mais par la connaissance des faits.

XXVI. Si le monde sera restauré en mieux

APOLLONIUS. **1.** Il est certes difficile à croire que le monde, qui consiste en de si grandes et admirables puissances, pourra un jour être détruit ou rénové. Mais puisque tu prétends qu'il doit être transformé grâce au pouvoir de Dieu, qu'arrivera-t-il s'il n'existe plus? **2.** Ou alors, quelle restauration le rendra plus beau, lui dont la grandeur et la grâce sont telles que sa grandeur ne peut être saisie ni par la raison ni par la connaissance, et que sa splendeur ne peut être augmentée? **3.** Quelles sont donc la position et l'opinion à suivre sur cette question, cela, il faut que l'instruction que tu m'as promise ne le passe pas sous silence.

ZACHÉE. **4.** Tu dis certes à juste titre que, pour nos intelligences, la raison qui se trouve dans la Providence de Dieu est impossible à percevoir d'une façon intégrale. Mais une splendeur multipliée augmentera la beauté de sa grâce présente, puisque, du créateur, lui viendra une lumière beaucoup plus grande que celle qui fut placée par ce dernier dans les créatures. **5.** Il nous faut donc évaluer les choses invisibles à partir des visibles et les incorruptibles à l'admiration que nous avons pour ce qui est corruptible. **6.** Mais aux justes qui se lèveront pour des joies éternelles, un ciel nouveau et une terre nouvelle seront révélés[a]. **7.** De même, une lumière amplifiée au-delà de celle du soleil se répandra à partir de la vue

20 conspectu se lumen infundet[b], quia multo magis sol a deo distat, quam nos ab eodem sole distamus. **8.** Hi potius quos ad hanc uitam diuersis iustitiarum gradibus merita prouexerint, splendorem solis habituri sunt[c], et ita singuli indeptae felicitatis honoribus perfruentur, ut nec 25 altior efferatur, nec spernatur inferior, sed gaudia sua unusquisque sic diligat, ut claritatis distantiam pari immortalitate compenset. **9.** Nulla tum interiectio noctis continuitatem diei lucisque uiolabit. Praesens enim cernentium uisibus deus, et beatorum laetitiae semper socia diuinitas 30 obscuritatem fugabit diemque iunctura est. **10.** Non liuor miseros, non suspicio uexabit incautos. Nullus animi ac uiscerum dolor nullaque peccati uel necessitas uel occasio uel uoluntas mortem aut mereri faciet aut timeri. **11.** Vernabunt cuncta cum fructibus omnium specierum, nulla 35 temporum uarietate mutata. Odor cum amoenitate certabit. **12.** Non illic importunae obscuritatibus pluuiae, aut perennis aurae libertatem rigor calorque corrumpet, sed manebit perpetuo blanda temperies, et inaestimabilia illius beatitudinis gaudia praeteritorum recordatio nulla uexabit, 40 ita ut praesentis mundi usum etiamsi abolitio futura non tolleret, transisse tamen gauderent iusti potius quam dolerent.

22 iustitiarum : + et P || 25 efferatur : defferatur C^{pc} differatur C^{ac} || 27-28 continuatae LT -nuationem *κ* || 28 uiolauit T || 30 diemque : quae V *om.* B || iunctura est : *om.* $B^{pr.m.}$ et iunctura est *exp. mg.* $B^{sec.m.}$ || 31 ac : uel *mo* || 34 fructibus : fluctibus et CP || specie *κ* a^{1-2}*gm* || 36 importunae : + in CP

---

b. *Cf.* Jn 1,9 c. *Cf.* I Cor. 15,41-42

de Dieu[b], car le soleil est beaucoup plus éloigné de Dieu que nous ne le sommes du soleil. **8.** Ce sont plutôt ceux que leurs mérites auront amenés à cette vie par différents degrés de justice qui posséderont la splendeur du soleil[c], et tous, individuellement, jouiront des honneurs de la félicité qu'ils auront reçue, de telle sorte que celui qui sera placé plus haut ne sera pas exalté, et que l'inférieur ne sera pas méprisé, mais que chacun aimera les joies qui seront siennes, de manière à ce que la différence de clarté de l'un à l'autre soit compensée par une égale immortalité. **9.** Alors, aucun passage de nuit ne violera la continuité du jour et de la lumière. Dieu sera présent à la vue des hommes et la divinité toujours associée à l'allégresse des bienheureux fera fuir l'obscurité et amènera le jour. **10.** L'envie ne blessera plus les malheureux, ni le soupçon ceux qui ne se tiennent pas sur leurs gardes. Nulle douleur de l'âme et des entrailles, et nulle nécessité, nulle occasion ou volonté de pécher ne feront qu'on mérite ou qu'on craigne la mort. **11.** Toutes choses se revêtiront de fruits de toutes espèces, n'étant pas altérées par une alternance de saisons. Parfum et beauté rivaliseront. **12.** Là-bas, aucune de ces pluies dont l'obscurité nous est pénible, aucun froid et aucune chaleur ne porteront atteinte à la liberté d'un souffle éternel[1], mais un climat doux restera en permanence, et aucun souvenir du passé ne blessera les joies inestimables de cette béatitude; ainsi, même si nulle destruction future ne supprimait l'usage du monde présent, les justes se réjouiraient pourtant que ce dernier soit passé plutôt qu'ils ne s'en plaindraient.

1. Cf. AMBR., *Bon. Mort.*, 53 (*CSEL* 32-1, p. 748).

XXVII. Cur frustra adorentur idola, si in templis donant responsa

APOLL. PHILOS. **1.** Magna est, sicut dicis, adhortatio futurorum, sed nondum gentilium uanam patuit religionem, aut uacua honore diuinitatis numina nuncupari, quando et certa ex adytis responsa praestantur, et futura noscuntur in templis. **2.** Quae si et uera sunt, et quaerentibus prosunt, frustra christiani destruere conamini quod eripere non potestis.

ZACH. CHR. **3.** Haec quidem, quae in templis ostendere extorum inspectio solet, et ex adytis uelut futura portendere, nec semper uera sunt, et nulli umquam, ut arbitror, prosunt, quia, si aduersa sunt, et ad correptionem ex deo ueniunt, nisi ab ipso non queunt immutari. Et denuntiata scisse quid prodest, si uitari praedicta non possunt? **4.** Si autem ex deo non sunt, nec bona possunt esse, nec uera, et sicut haud officiunt, ita nihil prosunt. Sed siue sunt falsa, seu certe ex prouentu habent aliquid ueritatis, omnia figmenta sunt daemonum, qui et sperari a se uolunt, et sperantes decipere consueuerunt, ut, cum a dei cultu homines abstraxerint, etiam a beneficiis exuant atque ab eius bonitate disiungant. **5.** Hi gentilium obsident templa, hi sub mortuorum hominum nominibus sedem in uestris adytis collocarunt, et quia illis nusquam praeterea consistendi integer locus est, aerem sub nubibus praeci-

XXVII, 3 dicis : scis BV T ‖ 4 patuit gentilium uanam religionem V $a^{2}gm$ gentilium uana [+ nam P] potuit religio [-gione a^{1}] CP a^{1} gentilium patuit uana religio M ‖ 5 nomina B^{ac}V ‖ 8 christiani *om.* κ ‖ 11 extarum P ‖ portendere : portendi CM protendi P ‖ 13 si : ut C ‖ correctionem *edd.* ‖ 15 uitari : uisitari P ‖ 17 sicut : sic B si LT ‖ haud : haut C aut L *om.* BV T P ‖ ita : aut β ‖ 18 siue sunt : si uester $P^{pr.m.}$ si uestri $P^{sec.m.}$ ‖ 20 consuerunt LT CP a^{1} ‖ 21 a^{2} *om.* CP $a^{1\text{-}2}gm$ ‖ 24 uestris *om.* C ‖ 25 integer : in terra CM $a^{1\text{-}2}gm$ inter P

1. Sur cet argument de Carnéade, voir CIC., *Div.*, II, 21.

XXVII. Pourquoi dire que les idoles sont adorées en vain, si vraiment elles donnent des réponses dans les temples

APOLLONIUS. **1.** Il est grandiose, comme tu le dis, l'appel que le futur nous adresse, mais tu n'as pas encore prouvé que la religion des païens était vaine ou que ce sont des êtres privés de l'honneur de la divinité que nous appelons puissances divines, puisqu'ils donnent des réponses sûres à partir de leurs sanctuaires et que le futur se fait connaître dans leurs temples. **2.** Si ces réponses sont vraies et utiles à ceux qui posent les questions, vous, chrétiens, vous vous efforcez en vain de détruire cela sans parvenir à l'extirper.

ZACHÉE. **3.** Ce que l'examen des entrailles a coutume de montrer dans les temples et de présager comme futur dans les sanctuaires n'est pas toujours vrai et, comme je le pense, n'est jamais utile à personne, car, s'il s'agit d'événements funestes, et s'ils viennent de Dieu en vue de nous corriger, ils ne peuvent pas être changés, si ce n'est par lui. Et à quoi sert-il de connaître ce qui a été annoncé, si cette prédiction ne peut pas être évitée[1]? **4.** Si, en revanche, cela ne vient pas de Dieu, cela ne peut être ni bon ni vrai, et, de même que de telles choses ne sont pas vraiment nuisibles, elles ne sont pas utiles non plus. Mais qu'elles soient fausses ou qu'elles aient bien quelque vérité du fait qu'elles se sont produites, ce sont toutes des productions des démons qui veulent qu'on espère en eux et ont l'habitude de tromper ceux qui espèrent, pour que, après avoir soustrait les hommes au culte de Dieu, ils les dépouillent aussi de ses bienfaits et les séparent de sa bonté. **5.** Certains occupent les temples des païens, d'autres, sous les noms d'hommes morts, ont élu leur domicile dans vos sanctuaires, et, parce qu'ils n'ont nulle part un lieu sûr pour se tenir, ils envahissent l'air en se précipitant sous les

pites incursant, uolucrique discursu omnia perscrutantes, aut iam uisa denuntiant, aut a se nequiter faciunda, quasi ut caueantur, aduersa praedicunt. **6.** Nam licet nequam et incerti sint spiritus, omnique crimine reatuque polluti, incorporalis tamen eiusque substantiae, cuius dignitatem amisere cum caelo, naturae beneficio et uigore non carent. **7.** Ac plus quam homines sciant necesse est, quorum et creatio sublimior est, nec terreno corpore sensus includitur. **8.** Sed quae, rogo, illorum diuinatio est? Nonne similiter cum hominibus, quos per uitia ceperint, Christi inuocatione terrentur? **9.** Volunt quaedam sponte praedicere, et de absentibus uel futuris uelut manifesta denuntiant, dum aut medelam cruciatibus sperant, aut praedicturos imitantur ut fallant. **10.** Omnis tamen diuinandi simulatio de rebus actibusque terrenis est : nihil ante factum, quod sit dei, praeuident, nihil, priusquam uideant, caeleste nouerunt, et, quod magis mirere, ne cogitationes quidem in cordibus hominum deprehendunt.

11. His ergo non pudet cultum uerae diuinitatis ascribere, his uitam hominis spemque committi, quibus circumscribendi semper dolus est et fallendi pro diuinatione subtilitas? **12.** His etiam simulacra aut igni excocta componitis, aut in ligno uel sculptilibus adoranda praebetis. **13.** Ex quibus is uobis uenerabilior deus est, qui artificis manu melius expolitus, et hoc diuinitas clarior

27 iam *om.* LT || a *om.* V || 30 incorporalis : -rales *κ* || eiusque : aeque BV || 31 amisere : miserae V || 34 sed : et *β* || 35 cum : + in B LT || quos : quod C quo T || uitia : uiam V || coeperint B L ceperunt P || 38 medelam : + in *κ* a^1 || 38-39 credituros B^{ac} credituris B^{pc} || 39 emitantur T minitantur $B^{sec.m.}$ || 39-40 diuina dissimulatio $B^{pr.m.}$V diuinationis simulatio $B^{sec.m.}$ || 41 prouident *κ* || 41-42 nihil – nouerunt *om.* *β* a^1 || 42 mirare P mireris L || ne : nec L || ne cogitationes : negotiationes VT || 48 in *om.* *κ* || 49 is : his B^{ac}V LT CP a^1 || uobis *om.* BV uobiscum LT || 50 expolitur B || 50-51 pulchrior... clarior L

nuages, et scrutant tout en volant çà et là comme les oiseaux, ils annoncent ce qu'ils viennent de voir, ou ils prédisent les malheurs qu'ils doivent accomplir eux-mêmes avec malfaisance comme pour qu'on s'en garde. **6.** Car, bien qu'ils soient des esprits mauvais et indignes de confiance, souillés de toutes sortes de crimes et de fautes, ils ne sont pourtant pas privés du bienfait et de la force d'une nature incorporelle, et de la substance dont ils ont perdu la dignité en quittant le ciel. **7.** Et il est nécessaire qu'ils sachent plus de choses que les hommes, eux dont la création est aussi plus élevée, et dont la pensée n'est pas enfermée dans un corps terrestre. **8.** Mais qu'est-ce que, je te le demande, leur art divinatoire? Est-ce que, semblablement aux hommes, dont ils se sont emparés au moyen des vices, ils ne sont pas également terrifiés par l'invocation du Christ? **9.** Ils veulent prédire par eux-mêmes certains faits, et annoncent, comme s'ils étaient clairs, des présages qui concernent les événements encore absents ou futurs, soit en espérant avoir par là un remède à leurs tourments, soit en jouant aux devins afin de tromper. **10.** Pourtant tout leur simulacre de divination concerne des événements et des actes terrestres : ils ne prévoient rien – chose qui relève de Dieu – avant que cela ne se soit produit, ils ne connaissent rien de céleste avant de l'avoir vu, et, ce qui est encore plus stupéfiant, ils ne saisissent même pas les pensées qui sont dans le cœur des hommes.

11. N'avez-vous donc pas honte de leur rendre le culte qui revient à la véritable divinité, et de confier la vie et l'espérance des hommes à des êtres qui ne présentent rien que ruses en vue de nous circonvenir et raffinement trompeur en lieu et place d'art divinatoire? **12.** Vous leur faites même des statues fondues au feu ou vous les leur offrez, sculptées dans le bois, pour l'adoration. **13.** Parmi ces objets, le dieu qui est pour vous le plus digne de

pictura si pulchrior; nec requirendi creatorem studium est, aut agnoscendi deum uerum sensus apponitur. **14.** Nonne manifestae dementiae est his quasi deo hominem subici, quos tibi possis deum credendo subicere, et ab his uitae
55 auxilia postulare, quos in reatu esse non dubium est? **15.** Quos si profuturos putas, et ideo placari debere confidis, profuturos cuiquam crede propitios, si spreti a fidelibus nocent, si his, a quibus propter deum contemnuntur, officiunt. **16.** Cum ergo nos timeant, uobis
60 praesunt. Et uide qualiter haberi debeant, qui nec prodesse umquam possunt, nec semper nocere, cum, etsi desit facultas, uelle non desinant.

XXVIII. Si deus solus debetur honorari, quare et homines honorantur, et imagines sculpuntur in uasis dei?

APOLL. PHILOS. **1.** Habet quidem speciem ueritatis obiur-
5 gatio tua, sed potest recurrentibus confutari. **2.** Nos enim eorum simulacra uel imagines adoramus, quos uel uera religione deos credimus, uel antiquorum traditionibus docti deos non esse nescimus. **3.** Vos uero, quibus istud abominatio est, cur imagines hominum, uel ceris pictas, uel
10 metallis defictas, sub regum reuerentia etiam publica ado-

TEST. ***XXVIII,*** l. 5-29 nos enim... christiani *Libri Carolini*, III, 15 (éd. Bastgen, *MGH Conc.* 2, *suppl.*, Munich 1924, p. 135-136)

51 pictura si : quo pictura fit B ‖ 53-54 subici – credendo *om.* β ‖ 54 et *om.* B LT ‖ 55 quos : quod B κ ‖ 56 placare BV ‖ debere *om.* B ‖ 57 si : hii V + hi P ‖ 60 praesunt : prosunt CM *a*[1] ‖ 61 umquam : numquam C ‖ 61-62 etsi desit facultas : et sit facilius et V LT κ *edd.*
XXVIII, 7 docti : ducti B LT *mo* ‖ 10 etiam *om.* β

1. Cf. LACT., *Inst.*, II, 6, 6 : «Plus les statues sont belles, et plus grande est à leurs yeux [ceux des païens] la majesté des dieux» et TERT., *Apol.*, 13, 6 (*CUF*, Paris 1961², p. 32 s.).

vénération est celui qui a été d'autant mieux façonné par la main de son artisan et la divinité est d'autant plus illustre que son image est plus belle[1]; vous n'avez pas non plus le souci de rechercher le créateur, et votre pensée ne s'applique pas à connaître le vrai Dieu. **14.** N'est-ce pas folie manifeste que l'homme leur soit soumis comme à Dieu, alors qu'on peut se les soumettre en croyant à Dieu, et qu'on leur demande leur aide pour vivre, alors qu'on ne peut pas douter qu'ils sont en état de faute? **15.** Et si tu penses qu'ils te seront utiles et que pour cette raison tu es persuadé qu'on doit les apaiser, crois qu'ils seront favorables et utiles si, après avoir été dédaignés par nos fidèles, ils nuisent à ces derniers, et s'ils font obstacle à ceux par lesquels ils sont méprisés à cause de Dieu. **16.** Donc, alors qu'ils nous craignent, ils vous gouvernent. Après cela, vois comment ils doivent être considérés, eux qui ne peuvent jamais être utiles ni toujours nuire, bien que, même s'ils n'en sont pas capables, ils ne cessent pas de le vouloir.

XXVIII. Si on doit honorer Dieu seul, pourquoi des hommes sont-ils honorés et des images sculptées dans la forme des créatures favorites de Dieu?

Apollonius. **1.** Tes reproches ont certes l'apparence de la vérité, mais ils peuvent être réfutés par des faits qui vont en sens contraire. **2.** En effet, nous, nous adorons les statues ou les images de ceux que ou bien nous croyons dieux en suivant une vraie religion, ou bien, puisque nous avons été instruits dans les traditions de nos ancêtres, dont nous ignorons qu'ils ne sont pas des dieux. **3.** Mais vous, qui avez cela en horreur, pourquoi vénérez-vous des images d'hommes peintes sur de la cire ou façonnées dans le métal, en respectant les égards dus aux souverains, même dans une adoration publique, et pourquoi donnez-vous aussi à des hommes ce qui est,

ratione ueneramini, et, ut ipsi praedicatis, deo tantum honorem debitum etiam hominibus datis? **4.** Quod si et illicitum legique contrarium est, cur hoc facitis, christiani, aut cur hoc uestri non prohibent sacerdotes, ne id quod
15 ignorantibus nobis pro sacrilegio ascribitis, scientes sub officii excusatione subeatis?

ZACH. CHR. **5.** Istud quidem nec debeo probare, nec possum, quia euidentibus dei dictis non elementa, non angelos, nec quoslibet caeli ac terrae uel aeris principatus
20 adorare permittimur[a]. **6.** Diuini enim speciale hoc nomen officii est, et altior omni terrena ueneratione reuerentia. Sed sicut in huiusmodi malum primum adulatio homines impulit, sic nunc ab errore consuetudo uix reuocat. **7.** In quo tamen incautum obsequium, non aliquem diuinum
25 deprehenditis cultum, et propter similitudinem amabilium uultuum gaudia intenta plus faciunt, quam aut hi forte exigant quibus defertur, aut perfungi oporteat deferentes. **8.** Et licet hanc incautioris obsequii consuetudinem districtiores horreant christiani, nec prohibere desinant sacer-
30 dotes, non tamen deus dicitur, cuius effigies salutatur, nec adolentur ture imagines aut colendae aris superstant, sed memoriae pro meritis exponuntur, ut exemplum factorum probabilium posteris praestent aut praesentes pro abusione castigent. **9.** Vides ergo nihil uestris erroribus
35 simile in hoc esse quod arguis, nec iuste profanis actibus

13 est *om.* C || 15 pro sacrilegio ascribitis : obicitis *β mo* || 19 uel aeris : ac aeris C *om. β* || 20 permittimur : -titur P T[ac] || 22 huiusmodi : huius B || 25 et : sed CM *a*[1] scilicet *a*[2]*gm* || 26 aut *om.* CM *a*[1-2]*gm* || 27 exigunt L[ac] exagitant CP || 30 cuius – salutatur *om. β* || 31 adorantur L || ture *om. β* || imagines *om.* CP

XXVIII. a. *Cf.* Ex. 20,5

comme vous l'affirmez vous-mêmes, un honneur dû uniquement à Dieu? **4.** Si cela est illicite et contraire à la loi, pourquoi, chrétiens, faites-vous cela et pourquoi vos prêtres ne l'interdisent-ils pas, de peur que vous ne vous exposiez, en connaissance de cause, en prétextant l'excuse du devoir, à ce que vous nous reprochez comme un sacrilège à nous qui l'ignorons?

ZACHÉE. **5.** Je ne peux, certes, ni ne dois approuver cela, car d'après les paroles de Dieu, qui sont claires, il ne nous est pas permis d'adorer les éléments, ni les anges, ni aucune puissance du ciel, de la terre ou de l'air[a]. **6.** En effet, ce terme particulier désigne un devoir envers Dieu, et il y a là un respect plus élevé que toute déférence terrestre. Mais, tout comme ce fut, au début, la flatterie qui poussa les hommes à une faute de ce genre, aujourd'hui, c'est l'habitude qui ne parvient pas à les éloigner de l'erreur. **7.** Pourtant, dans cette affaire, c'est un hommage imprudent que vous surprenez, non un culte rendu à une divinité, et, devant le portrait de visages souriants, un enthousiasme accru pousse à en faire plus que n'en exigeraient peut-être ceux auxquels on présente ces honneurs, et qu'il ne faudrait que ceux qui les présentent en accomplissent. **8.** Et bien que des chrétiens plus rigoureux aient horreur de cette coutume qui consiste à rendre un hommage trop imprudent et que les prêtres ne cessent de l'interdire, on n'appelle pourtant pas Dieu celui dont l'effigie est saluée, on n'offre pas d'encens à ses images, et elles ne sont pas placées sur des autels pour être l'objet d'un culte, mais on les lui érige comme des monuments pour ses mérites, afin qu'elles offrent à la postérité l'exemple de ses actions dignes d'éloges, ou afin qu'elles corrigent pour leurs abus ceux qui sont présents devant elles. **9.** Tu vois donc qu'il n'y a en cela rien de semblable à vos erreurs, comme tu nous en accuses, et qu'on ne confère pas à juste titre

officia incautiora conferri, quando etiam ipsi, ad quos referri istud potest, aut fieri hoc nolint, si consulantur, aut, quamlibet uanae gloriae consuetudinem non recidant, nihil temere adsumentes diuinum, mortales se esse et dei
40 indignos honore fateantur, cui et quod sunt debent, et fide, ut hoc essent, fortasse meruerunt.

XXIX. *Quare christiani fatum non credunt?*

APOLL. PHILOS. **1.** Aduertere in huius propositionis principio potuisti tenui me obiectione ista libasse, quia professionis uestrae perfecta, ut uultis, obseruatio nihil
5 penitus, quo exasperari deus possit, debet admittere. **2.** Nunc autem neglectis his, hoc, si uidetur, signanter exprome, cur fatum homini esse nolitis, aut quam ob causam nullam decreti necessitatem uideri, cum haec ipsa per cursum siderum lunaeque rationem ita inueniantur et
10 certa sint, ut nemo facile deuitet quod futurum ei statuta propriae natiuitatis adfixerint.

ZACH. CHR. **3.** Credo intellegas, ex interpretatione sermonis fati nomen adsumptum, et, quod uocari putatur, in specie non rei alicuius esse, sed uerbi. **4.** Decreti
15 autem necessitas si est ulla, quod credi nefas est, humanae uitae deus aut ignarus est, aut iniustus : iniustus, si bona malaque inexpertis ipse constituit ; ignarus, si decerni ab

37 hoc *om.* β || nolent BV || 39 esse *om.* κ

XXIX, 3 posuisti LT || 7 hominis CP || 14 in specie : speciem κ || 15 humanae : huius mane P

---

1. Voir Appendice I, t. 2, p. 241.

2. Cf. VARR., *L.*, VI, 52 (éd. P. Flobert, *CUF*, Paris 1985, p. 25); AUG., *Civ.*, V, 9, 1-3. L'auteur fait allusion ici à l'étymologie faisant dériver *fatum* de *fari*.

ces honneurs trop imprudents à des fonctions profanes, puisque même ceux auxquels on peut rendre cet honneur, soit ne voudront pas qu'on le fasse, si éventuellement on les consulte, soit, bien qu'ils ne suppriment pas cette coutume de vaine gloire, reconnaîtront, en n'assumant rien de divin à la légère, qu'ils sont mortels et indignes de l'honneur de Dieu auquel ils doivent ce qu'ils sont et duquel ils ont peut-être mérité, par leur foi, d'être cela même.

XXIX. Pourquoi les chrétiens ne croient-ils pas au destin?

APOLLONIUS. **1.** Tu as pu remarquer qu'au début de la dernière question j'ai touché ce problème par une subtile objection, car une observation parfaite, comme vous la voulez, de votre foi ne doit absolument rien admettre qui puisse irriter Dieu. **2.** Mais à présent, après avoir laissé cela, explique-moi clairement, si cela te semble bon, pourquoi vous ne voulez pas que l'homme ait un destin et pour quelle raison il vous semble qu'il n'existe aucune nécessité venant de la fatalité, bien qu'on trouve ces choses-là grâce au cours des astres[1] et au mécanisme de la lune, et qu'elles soient certaines, de sorte que personne n'évite facilement l'avenir que lui ont fixé les constitutions présentes à sa propre naissance.

ZACHÉE. **3.** Tu comprends, je crois, que le terme de destin a été tiré d'une interprétation de notre langage, et que la signification qu'on lui attribue se rapporte non à la réalité d'une chose particulière, mais à celle d'une parole prononcée[2]. **4.** Si, par ailleurs, il existe une nécessité venant de la fatalité, ce qu'il n'est pas permis de croire, Dieu est soit ignorant, soit injuste à l'égard de la vie humaine : injuste, s'il constitue lui-même des biens et des maux pour ceux qui n'ont encore fait l'expérience de rien; ignorant, s'il permet que cela soit décidé par un

alio se cessante permittit. **5.** Nam si necesse est bonos
esse, cur ascribuntur merita uoluntati? Si malos, cur poena
20 commissis? **6.** Ergo et lex superuacua est, et nescio quam
ob causam saeculi iura condantur, si, quod recte homo
gesserit, prouentibus ascribendum est, quod praue, neces-
sitati. **7.** Cur praeterea idem bonorum potius conditor
deus tantis scripturarum uoluminibus uel comminatur
25 iudicium, uel beatitudinem repromittit? **8.** Quid religiosae
hominum preces faciunt, aut supplicatio enixa quid
praestat, si potestas aliqua decreti inexpertis hominibus
atque in lucem nascendo prodeuntibus, quod uitari non
queat et quod ipsi uidetur adfigat? **9.** At contra iustus et
30 nulli umquam inaequalis iudicio deus, sicut cuncta ipse
formauit, ita et cuncta moderatur, legem ab initio sta-
tuens, ut boni tantum simus, immo, quia sic creamur et
nascimur, ne mutemur, neque tantum ne mali simus, sed
ne uel mali esse uelimus, ut et faciamus semper bona,
35 non ut merentes mala aliquando patiamur.

10. Verum hanc de homine, ut uidetur, praescientiam
malitiarum omnium diabolus auctor inuenit, ut uelut per
innoxiam mathesim occultius decipiantur qui fraudem illius
hanc esse non credunt. **11.** Inter omnes enim scelerum
40 suorum artes nulla dubios perniciosius appetit, nec alias
a dei cultu subtilius homines auocat, quam ut, cum
sciamus omnes deo nos debere quod formamur et nas-

18 cassante κ || permittat a^1 || 19 adtribuuntur κ || uoluntatis κ || 22 asserit C || 27 hominum C || 28 euitari κ || 29 queant P || uideatur BV T κ || affigatur C afficiat B^{ac}V || 30 inequali C || 32 simus *om.* C || 34 mali *om.* C || ut *om.* CP || et faciamus : efficiamus BV || 38 occultis P || 39 credunt : norunt V a^2*gm* || 40 alia V a^2*gm* || 42 deo *om.* P

1. C'est la loi naturelle, remise à l'homme au paradis (I, 15, 5).

autre sans lui. **5.** Car si les gens de bien existent par nécessité, pourquoi attribue-t-on des mérites à la volonté? S'il en va de même pour les méchants, pourquoi alors un châtiment pour les crimes? **6.** Donc la loi est inutile et je ne sais pour quelle raison sont rédigés les codes de droit de ce monde, si ce que l'homme a fait avec justice doit être considéré comme l'effet des événements et ce qu'il a fait à tort comme celui de la nécessité. **7.** En outre, pourquoi ce même Dieu, qui est plutôt le créateur des biens, tantôt menace-t-il du jugement dans de si nombreux livres des Écritures et tantôt promet-il la béatitude? **8.** Que font les prières religieuses des hommes et à quoi sert une supplication ardente, si quelque puissance de la fatalité fixe aux hommes qui n'ont l'expérience de rien et qui viennent de naître ce qui ne peut pas être évité et qui est son bon plaisir? **9.** Au contraire, Dieu qui est juste et jamais inéquitable envers quiconque dans son jugement, de même qu'il a créé toutes choses, gouverne aussi tout, en fixant dès le commencement une loi[1] imposant que nous soyons seulement bons, et même plus encore, parce que nous sommes créés et que nous naissons dans cet état, imposant que nous ne changions pas, et que non seulement nous ne soyons pas mauvais, mais même que nous ne voulions pas l'être, afin que nous fassions toujours le bien et que nous ne souffrions pas un jour de maux mérités.

10. Mais, à ce qu'il semble, c'est le diable, auteur de toutes les perfidies, qui a imaginé cette prescience portant sur l'homme afin qu'au moyen de l'astrologie soi-disant innocente, soient plus discrètement trompés ceux qui ne croient pas que cette ruse vient de lui. **11.** En effet, parmi tous les arts qui relèvent de ses crimes, aucun n'attire plus pernicieusement ceux qui doutent et n'éloigne de manière plus subtile les hommes du culte de Dieu que le fait qu'il nous persuade que c'est au destin que nous devons notre

cimur, fato nos suadeat debere quod uiuimus. **12.** Fallimur, nisi haec quibusdam pro tota religione praecipua cura est, ut futura non nesciant. **13.** Velint nolint, ei a quo scierint efficiuntur obnoxii, quia credunt, ac dum ista sectantur, a fide et religione discedunt, et, quod est saeuius, sub specie innocentiae malum non cauetur, dum uitari posse non creditur, neque, si est prosperum, a deo poscitur, quod necessario euenturum speratur. **14.** Intuere praeterea ipsam maleficiorum scenam : signorum qualitas, status lunae, dies, hora, consulentis nomen inquiritur. **15.** Ecce iam incerta diuinatio est, ubi falli interrogans uel respondens potest. **16.** Fit postea quicumque prosperorum gradus, et cum euadendi condicione praedicuntur aduersa. **17.** Nempe etiam hic memorati artificis fraus elucet, quod esse fateatur incerta, quae euadi posse denuntiet. Deus enim innoxiis aduersa non statuit, inexpertis magna non tribuit. **18.** Vides ergo et diuinae patientiae et humanae curiositati fraudem diabolicae artis illudere, et uelut in supputatione lunae ac siderum cursu occultum perfidiae uirus latere, ut inter cognitionem ac praescientiam futurorum et reuerentia dei et amor iustitiae apud homines minuatur, cum deus aut mala nascentibus statuisse credendus sit, aut ab alio constituta auferre non posse.

43-44 fallimus BT CP || 47 quod est : uide *β* || 50 necessarium B^{pc} LT || euenturum : + esse CM || 52 horae *β* || 54 prosperis B -rum V P || 55 cognitione L || 57 euadendi V || euadi posse : euadenda B || 59 magna : mala a^{2}*gm* || 61 lunae *om.* *κ* || 62 uirus : uiros P^{ac} uulnus uel uirus CM uulnus et uirus $a^{1\text{-}2}$*gm* || ut : et CP || 63 praescientiam : + dei V || 66 possit *β* a^{1}

1. Pour Zachée, la véritable connaissance de l'avenir est un privilège de Dieu (I, 27, 10). Par conséquent, elle est infaillible et porte toujours sur des événements certains.

vie, alors que nous savons tous que nous devons à Dieu d'être créés et de naître. **12.** Sauf erreur de notre part, la principale préoccupation de certains, constituant toute leur religion, est de ne pas ignorer le futur. **13.** Qu'ils le veuillent ou non, ils deviennent dépendants de celui par qui ils ont eu ce savoir, car ils le croient; et aussi longtemps qu'ils s'attachent à cela, ils s'éloignent de la foi et de la religion et, ce qui est encore plus terrible, on ne prend pas garde au mal qui se cache sous une apparence d'innocence aussi longtemps qu'on ne croit pas qu'il peut être évité, et s'il s'agit d'un événement favorable, on ne le demande pas à Dieu, car on espère qu'il arrivera nécessairement. **14.** Vois en outre cette mise en scène de maléfices : on recherche quelles sont les constellations, la position de la lune, le jour, l'heure, le nom du consultant. **15.** Et voici que, d'ores et déjà, l'art divinatoire est incertain quand celui qui interroge et celui qui répond peuvent être trompés. **16.** Il arrive après cela une espèce d'accumulation de faveurs, et des événements funestes sont prédits avec la possibilité qu'on y échappe. **17.** Ici aussi se manifeste sans doute la tromperie de celui, dont j'ai parlé, qui en est l'artisan, parce qu'il affirme qu'existent des événements incertains[1], auxquels il annonce qu'on peut échapper. En effet, Dieu ne fixe pas de malheurs aux innocents, et n'impose pas de lourdes charges à ceux qui n'ont fait l'expérience de rien. **18.** Tu vois donc que la ruse de cet art diabolique se joue de la patience divine et de la curiosité humaine, et que le poison caché de sa perversité se dissimule en quelque sorte dans l'observation de la lune et dans le cours des astres. Se trouvant ainsi pris entre la connaissance et la prescience du futur, le culte de Dieu et l'amour de la justice sont affaiblis chez les hommes, lorsqu'il faut croire que Dieu a fixé des maux à ceux qui naissent ou qu'il ne peut pas faire disparaître ceux qu'un autre leur a préparés.

XXX. Si diabolus in occultis nocet, quomodo potest in cursibus lunae uel siderum, cum sint in praesenti, nocere?

APOLL. PHILOS. **1.** Quantum uideo, magna est huius diaboli potentia, qui contra dei, ut intellegitur, uoluntatem, etiam lunae ac siderum cursui ea, per quae hominibus nocere possit, inseruit. Verumtamen quo pacto aliunde uenire credenda sunt quae illic inspecta noscuntur? **2.** Arbitror autem in occultis falsitatibus illudi homines ab eo posse, mathesin uero cum signis ac sideribus simpliciter conuenire, ac non ideo noxiam debere iudicari, quia nihil de casibus subtrahit, sed magis utilem, quae aut denuntiet prospera, aut cauenda praedicat.

ZACH. CHR. **3.** Prius dixi mathesin hoc esse saeuius malum, quod innocens aestimatur. Sed licet inuestigabili subtilitate tecta atque conclusa sit, actus sui tamen, sicut exposui, corpore ac fine reseratur. **4.** Ex deo enim non est, et idcirco nec sideribus cohaerere credenda est, quae primum incerta et infidelis; deinde inanis est operis, et idcirco obseruari superuacuum est nihil profuturam. **5.** Multae autem stoliditatis est ab eadem praedicta metuere, quae et cum praedicentis confessione euadi possunt, et praecipue conuersis ad deum precibus superari. **6.** Prosperum uero aliquid ab eadem sperare perstultum est, cum tam facile aut falli possit aut fallere. **7.** Sed finge uerum aliquando denuntiet : quod consilium est, cum manifesto reatu ab huismodi prodigiis dubios potius exs-

XXX, 5 quia *a*[2]*gm* || 9 facultatibus B || 18-19 quae – et[1] : incerta queri [quaeri P] primum *κ* || 20 superuacuum : superfluum B || 21 instabilitatis *β* || 23 praecipue *om.* *β* || 24 stultum P

XXX. Si le diable nuit dans le domaine occulte, comment peut-il nuire dans le cours de la lune ou des astres étant donné qu'ils sont sous nos yeux?

APOLLONIUS. **1.** A ce que je vois, elle est grande, la puissance de ce diable qui, contre la volonté de Dieu, comme on le comprend, a même mêlé au cours de la lune et des astres ce par quoi il peut nuire aux hommes. Mais pourtant, comment peut-on croire que viennent d'ailleurs les choses que l'on sait avoir vues à tel endroit? **2.** Je pense au contraire que le diable peut se jouer des hommes grâce à des duperies cachées, mais que l'astrologie s'accorde clairement avec les constellations et les astres et qu'il ne faut pas la juger dangereuse, car elle ne dissimule aucun événement, mais plutôt utile, soit qu'elle annonce des choses heureuses, soit qu'elle prédise des choses dont il faut se garder.

ZACHÉE. **3.** J'ai dit tout à l'heure que l'astrologie est un mal d'autant plus cruel qu'elle est jugée innocente. Mais bien qu'elle ait été recouverte et enveloppée d'une impénétrable subtilité, pourtant, comme je l'ai montré, elle est dévoilée par la substance et la finalité de son action. **4.** En effet, elle ne vient pas de Dieu, et, pour cette raison, il ne faut pas croire qu'elle se rattache aux astres, elle qui est d'abord incertaine et indigne de foi; ensuite, elle relève d'une œuvre vaine, et, pour cette raison, il est superflu de l'observer, elle qui ne servira à rien. **5.** Par ailleurs, il est d'une grande sottise de craindre ce qu'elle prédit alors qu'on peut, de l'aveu même de celui qui fait la prédiction, y échapper, et qu'on peut surtout le surmonter par des prières adressées à Dieu. **6.** Et il est tout à fait stupide d'espérer d'elle quelque événement favorable, puisqu'elle peut si facilement se tromper ou tromper. **7.** Mais suppose qu'elle annonce quelquefois la vérité. Que vaut la décision qui consiste alors à attendre, en étant manifestement en état de faute, des événements douteux venant

pectare prouentus, quam in fide semper securum uel medelam a deo sperare uel meritum? **8.** Hoc magis
30 noueris, quendam esse diabolo in sceleribus principatum, atque huic immundorum spirituum ministeria diuersa seruire. **9.** Sub illius enim flagitiosa diuisione alii concupiscentiae faces praeferunt et luxuriae fomenta succendunt. **10.** Per quosdam in praeceps fertur libido atque auaritia
35 officiis suis utitur. Alii amore habendi cruenta persuadent et fraudes furtorum, alii furores laetantur ad cognitos. **11.** Hi maeroribus praesunt, et qui terrores metuentibus ingerunt certi sunt. Aliorum exercetur turba cruciatibus, ut saeuius infelicium hominum corpora uexatione qua-
40 tiantur. **12.** A quibusdam sub incremento lunae augetur insania, et, tamquam de plenitudine purissimi luminis captorum labes ueniat, sub quadam mali dimensione aut exaggeratur aut incipit. **13.** Nonnulli magicam praestolantur artem, et mentiri mortuorum figuras in meditatione
45 deputant. His etiam diuinationibus doctiores praecurrunt, et fallendi subtilissimos uelut simplex mathesis amplectitur. **14.** Alii in auibus auguria praecinunt, et uolantum lapsus certis laterum partibus monstrant. Atque ita illo falsitatum omnium incentore uel praesule diuersis criminum
50 stipendiis daemones militant, ut indefessos humano generi laqueos praetendentes, uitari ab hominibus ferrique non

30 zabulo BV || 32 enim *om.* B || 36 alii *om.* V LT κ $a^{1\text{-}2}$*gm* || furores : sorores V LT κ $a^{1\text{-}2}$*gm* || 38 ingerant LT κ *edd.* || 44 artem *om.* κ || ementiri B metiri L || figuras : + habentes B || 45 deputant his : deputatis β || doctiores : dicto res L *legi non potest* T || 46 fallendis κ || 47 in *om.* L || 48 ita *om.* C || 50 humani generis L || 51 hominibus : + plerumque L

de prodiges de ce genre-là, plutôt que d'espérer, en étant toujours ferme dans la foi, un remède donné par Dieu ou une récompense? **8.** Il vaut mieux que tu saches que le diable a une certaine prééminence dans le domaine des méfaits, et que différents ministères des esprits impurs le servent. **9.** En effet, en fonction de la criminelle répartition qu'il a voulue, les uns brandissent les torches de la convoitise et allument les passions pour une vie d'abondance. **10.** Certains amènent en toute hâte le désir et c'est l'avarice qui utilise leurs services. D'autres, en se servant de l'appât du gain, conseillent les crimes de sang ainsi que les vols frauduleux, d'autres trouvent leur plaisir devant des états de démence bien connus. **11.** Il y en a qui se chargent des états d'abattement, et ceux qui infligent des terreurs à ceux qui les craignent sont bien distincts. Une foule d'autres s'exerce aux tourments, afin que les corps des malheureux humains soient plus cruellement frappés par la douleur. **12.** Certains causent une augmentation du délire en fonction de l'accroissement de la lune, et, comme si le dommage causé aux hommes dont ils se sont emparés venait de la plénitude de la lumière la plus pure, le délire est amplifié ou commence en fonction d'une certaine proportion que prend le mal. **13.** Quelques-uns attendent vos arts magiques et, dans leur dessein, comptent revêtir l'apparence des spectres des morts. De plus instruits surpassent même ces derniers par la divination, et l'astrologie apparemment claire s'attache ceux qui sont les plus subtils en tromperie. **14.** D'autres font des présages en se servant des oiseaux, et montrent les trajectoires de ces volatiles en en faisant ressortir des parties et des angles déterminés. C'est ainsi qu'à l'instigation du diable qui préside à ces tromperies, les démons livrent bataille en remplissant diverses fonctions criminelles, de manière qu'en tendant infatigablement des pièges au genre humain, ils ne puissent ni être évités ni supportés par les hommes,

possint, si tamen, sicut illi uel credi semper uel fieri uolunt, totum aut crederetur aut fieret.

XXXI. Qui sint daemones et a quo diabolus

APOLL. PHILOS. **1.** Oportune ad responsionem interrogatio dudum sequestrata descendit : unde igitur, quiue isti sunt daemones, quos dudum in templis gentilium com-
5 morari, et nunc uniuersis uel praeesse uel interesse criminibus signantius edidisti? **2.** Quis eorum similiter princeps, quem diabolum uocas? Vel unde ad haec opera sunt deiecti, si ulla his tamen sublimioris naturae dignitas fuit? **3.** Effici enim per eos quae in superioribus memi-
10 nisti non nisi ipsorum genere et qualitate monstrabitur.

ZACH. CHR. **4.** Eadem quidem etiam nunc illis est natura, quae ab initio fuit, quia, quod semel creauerit deus, aut in melius mutat, aut ipse non abrogat. **5.** Caelestem uero dignitatem non sui creatoris, sed uoluntate propria per-
15 diderunt. **6.** Vnde, quia et offensae causas requiris, ex scripturarum ratione utraque cognosce. **7.** Duo creationum genera, cum omnia conderet, praecipua deus fecit, quibus secundum officium tribuit et sensum : in caelis angelos, homines in terris. **8.** Incorporales sunt et uere spiritus
20 angeli. Nos uero caelestes sensus intra corpora terrena gestamus. **9.** Et cum munere creatoris uoluntas utrisque sit libera, maior est tamen in hominibus occasio delin-

52 possent B^pc^ possunt P || si : sed C || tamen sicut : quod κ
XXXI, 6 signatius κ || quis : quiue L qui T κ || 7 uel unde : aut quam ob culpam κ || ab T || 8 his : illis C || 10 illorum V || et qualitate : equalitate P^pr.m.^ qualitate P^sec.m.^ per qualitatem C || 14 sui : ui κ || 15 causam κ || 18 angelos : + et C || 21 utriusque κ

si toutefois tout cela était cru et se produisait toujours comme ils veulent qu'on le croie et que cela se produise.

XXXI. Qui sont les démons et d'où vient le diable

APOLLONIUS. **1.** Voici une question qui, mise de côté tout à l'heure, tombe bien pour que tu y répondes : d'où viennent donc et qui sont ces démons dont tu m'as fort clairement exposé tout à l'heure qu'ils demeurent dans les temples des païens, et à l'instant, qu'ils président et participent à tous les crimes? **2.** De même, qui est leur chef que tu appelles le diable? Et pourquoi ont-ils été déchus jusqu'au niveau de ces œuvres-là, si toutefois ils ont vraiment eu quelque dignité d'une nature supérieure? **3.** En effet, on ne pourra pas me démontrer que ce que tu as mentionné plus haut est accompli par eux, s'ils ne le font pas grâce à leur race et à leur qualité propre.

ZACHÉE. **4.** Ils ont certes encore maintenant la nature qui fut la leur dès le commencement, car ce que Dieu a créé une fois pour toutes, soit il le change en mieux, soit il ne le supprime pas de lui-même. **5.** Mais ils ont perdu la dignité céleste non par la volonté de leur créateur, mais par la leur propre. **6.** C'est pourquoi, puisque tu recherches également les causes de leur disgrâce, reconnais-les ainsi que leur dignité perdue en considérant les Écritures. **7.** Comme Dieu établissait toutes choses, il fit deux genres de créatures particulières auxquelles il attribua aussi, selon leur fonction, la faculté de penser : dans les cieux les anges, et les hommes sur terre. **8.** Les anges sont incorporels et réellement des esprits. Mais nous, c'est dans des corps terrestres que nous portons une faculté de penser qui est céleste. **9.** Et bien que, par un bienfait du créateur, les uns et les autres aient une volonté libre, il y a pourtant un plus grand risque de pécher dans les hommes, qui doivent être attentifs

quendi, quibus et animo et corpore cauendum est. Nam desideriis animae, corpora actibus peccant.

25 **10.** Hi ergo propiores deo, qui magis liberi, et quia imperiorum eiusdem ministri semper ac medii, ideo plus scientes. **11.** Ergo quaecumque in terris agi potestatum et dignitatum gradibus uides, umbra caelestium est[a]. **12.** Ita et illic magis secundum dei datum et disciplinae et 30 ordinum modus praesidentis dei seruit imperiis, atque ad nutum ineffabilis maiestatis innumerabilem angelorum multitudinem archangelorum oboedientia regit. **13.** Qui nunc autem diabolus et daemonum princeps, primus omnium angelus fuit, qui factura et gradu caeteris praeminens, 35 dum effertur superbia, infra omnes effectus est. **14.** Videri se etenim deum, quod non erat, uoluit et, quia primus inter omnes factus fuerat creaturas, diuinitati se comparando honorem creatoris adsumere. **15.** Ob cuius ausi praesumptionem cum aliquantis ex inferioribus, qui 40 adsensum praebuerant, eiectus e caelo est. **16.** Quos postquam secum traxit ad terras, tamquam amissum reparans principatum, ex angelis satellites suos fecit, et, sicut paulo ante memoraui, officiis criminum malisque lapsorum negatum in caelos reditum consolatur. **17.** Hic 45 primum hominem ad temerandam praecepti legem in serpente praeuius et suasor animauit, et in consequentibus semper bonam nostri creationem per uitae blandimenta

24 animae : + et C ‖ 26 eius idem κ ‖ 27 ergo : + ut *a*^{2}*gm* ‖ quaecumque : quicumque C ‖ 28 et : ac C ‖ 29 et^1 *om.* CP ‖ et^2 : est CP *a*^{1} *om.* M ‖ 31-32 innumerabilem multitudinem angelorum obedientia regit archangelorum L ‖ 32 archangelorumque P ‖ obedientiam κ ‖ 34 factura et : ut factura ita et κ factura ita et *a*^{1} ‖ 36 etenim : etiam BV enim CP ‖ 37 creaturas *om.* *a*^{2}*gm* ‖ se *om.* B ‖ 40 reiectus κ ‖ 46 amauit P ‖ 47 bona nostrae V bona nostri *a*^{1} ‖ creationis V -torem C -toris *a*^{1}

XXXI. a. *Cf.* Hébr. 8,5

aussi bien à leur esprit qu'à leur corps. En effet, les âmes pèchent par leurs désirs, les corps par leurs actes.

10. Les anges donc, plus proches de Dieu, sont plus libres, et parce qu'ils sont toujours les ministres et les intermédiaires de ses ordres, ils ont plus de savoir. **11.** Donc, tout ce que tu vois être accompli sur terre par des hiérarchies de puissances et de dignités, cela est l'ombre des choses célestes[a]. **12.** C'est ainsi qu'au ciel également, c'est plutôt selon ce que Dieu a donné que la règle de la discipline et des positions hiérarchiques est au service des ordres de Dieu lui-même qui les gouverne, et c'est selon la volonté de sa majesté ineffable que l'obéissance aux archanges dirige la multitude innombrable des anges. **13.** Mais celui qui est maintenant le diable et le chef des démons fut le premier de tous les anges, et lui, qui dépassait les autres par sa création et sa position, s'étant laissé emporter par son orgueil, il a été placé au-dessous de tous. **14.** En effet, il a voulu paraître Dieu, ce qu'il n'était pas, et, parce qu'il avait été créé le premier d'entre toutes les créatures, il a voulu prendre l'honneur du créateur en se comparant à la divinité. **15.** A cause de la présomption de cette entreprise, en compagnie d'un assez grand nombre d'anges inférieurs qui lui avaient donné leur assentiment, il fut expulsé du ciel. **16.** Après qu'il les eut entraînés vers la terre avec lui, comme s'il voulait restaurer la prééminence qu'il avait perdue, il fit de ces anges ses satellites, et, comme je l'ai rappelé un peu avant, il se console, grâce à des activités criminelles et aux malheurs de ceux qui sont tombés, de ce que le retour dans les cieux lui est refusé. **17.** C'est lui qui, dans le serpent, poussa le premier homme, en le guidant et en le conseillant, à braver la loi fixée, et par la suite, en se servant des attraits de la vie, il n'a pas cessé de pousser au crime la bonne création que nous sommes, et, bien que le Christ ait été crucifié

egit in crimina, et, quamlibet per manus hominum, hoc tamen Christus insistente crucifixus est. **18.** Illi inuidia, 50 tumor, crudelitas et mixtus concupiscentiae luxus in sordibus cordi semper et gaudio est. **19.** Et ne semper impia uel polluta sectando subtilis nequitiae figmenta nudaret, informationi atque effectibus scelerum honesta permiscuit, uideri studens sibi uirginitatem placere, dicari debere idolis 55 castitatem, ut, quod re destruit, ambiret in nomine, purificatis etiam plus quiddam fallaciae suae praestans, et quamlibet homini sectam libenter indulgens, dum deum nec ignoratum aliquis scire quaerat, nec agnitum ex ipsius uoluntate ac lege ueneretur. **20.** Hi ergo daemones, et 60 hic eorum diabolus princeps; hos Christi nomen intra hominum uiscera abditos terret et cruciat. **21.** Hi hominibus memoratas superius insidias struunt, quos metu nequeunt, illecebris capientes, ut, cum quolibet modo offensos deo fecerint, a spe immortalitatis abducant et 65 oblectatione praesentium et incredulitate futurorum.

XXXII. Cur praescius futurorum deus fecerit diabolum, qui futurus esset hominibus inimicus

APOLL. PHILOS. **1.** Si tam malus est diabolus quam dicis, et tam pertinax criminum, futuri praescius deus nec malum 5 creare debuerat, nec tanto culmine dignitatis efferre, ne

51 est et *om.* P || impia : inania L in ia T || 56 quiddam : quidem V || 57 hominis et tam libenter et indulgens CP || 58 quaerat : queat κ $a^{1\text{-}2}$*gm* || 60 hos : + ergo CM a^1 || 65 futurorum : + bonorum β
XXXII, 3 est *om.* κ || 5 tanto : tantum LT || dignitatis *om.* B

1. Sur la polémique contre la virginité païenne, notamment celle des Vestales, voir TERT., *Cast.*, 13, 2 (*SC* 319, p. 114 s.); AMBR., *Ep.* 17, 14 (*PL* 16, 964C-965A = *CSEL* 82-3, *Ep.* 72, 14); HIER., *Ep.* 123, 7.

2. La question de la création du diable, déjà touchée par LACT., *Epit.*, 24 (*CSEL* 19, p. 697), réapparaît dans ATHANASE, *Vie d'Antoine*, 22 (*SC* 400, p. 194 s.; vers. d'Évagre : *PL* 23, 137C; vers. latine anonyme : G.J.M. BAR-

par la main des hommes, il le fut pourtant sous sa pression. **18.** Il s'attache sans cesse, et c'est là sa joie, à l'envie, à l'enflure, à la cruauté et à une volupté souillée mêlée de convoitise. **19.** Et afin de ne pas mettre à nu, en s'attachant toujours aux impiétés et à ce qui est impur, les produits de sa subtile malice, il a mêlé des éléments honorables à l'enseignement et à la réalisation de ses forfaits, désireux que la virginité paraisse lui plaire, que la chasteté soit consacrée aux idoles[1], si bien que, ce qu'il détruit en réalité, il cherche prétendument à l'obtenir, fournissant même à ceux qui ont été purifiés encore plus de sa propre fausseté et pardonnant généreusement à l'homme n'importe quelle conviction religieuse, pourvu que personne ne cherche à connaître un Dieu qu'il ignore, ni, une fois qu'il le connaît, ne le vénère conformément à sa volonté et à sa loi. **20.** Tels sont donc les démons et ce diable, leur chef; ce sont eux, retirés dans les entrailles des hommes, que le nom du Christ terrifie et tourmente. **21.** Ce sont eux qui dressent aux hommes les pièges que j'ai mentionnés plus haut, prenant par des séductions ceux qu'ils ne peuvent pas prendre par la crainte, afin que, puisqu'ils sont eux-mêmes de toute façon tombés en disgrâce aux yeux de Dieu, ils les éloignent de l'espérance de l'immortalité par la jouissance des réalités présentes et l'incroyance en celles du futur.

XXXII. Pourquoi Dieu, qui a la prescience du futur, a créé le diable qui allait être l'ennemi des hommes

APOLLONIUS. **1.** Si le diable est si mauvais que tu le dis, et si attaché aux crimes, Dieu qui a la prescience du futur n'aurait pas dû créer un être mauvais[2] ni l'élever à un si grand sommet de dignité, de crainte de créer

TELINK, *Vita di Antonio,* Rome 1974, p. 50-52). Voir aussi AUG., *Gen. ad lit.,* XI, 20, 27 (*BA* 49, p. 271).

aut sibi obuium, aut hominibus crearet inimicum. **2.** Cuius quae ratio facti sit, si scientia suppetit, narratio subsequatur.

ZACH. CHR. **3.** Nihil malum penitus in suo opere deus 10 fecit, nec insitum in his creaturis aliquid noxium est, sed ab his potius appetitum, quia ut placerent facta sunt omnia, non ut nocerent. **4.** Sed primum angelis sicut hominibus postea liberam deus praestitit uoluntatem, alioquin in nullo praeter naturam mutis animalibus prae- 15 stitissent. Hoc est, sicut iam de hominibus dixi, in quodam ignorantiae torpore compositis aut licerent omnia, aut omnia non licerent. **5.** Fons ergo totius rationis deus irrationabiles sibi erat creaturus ministros? Aut quae ipsorum sensibus ratio, si nulla uoluntatis potestas? **6.** Quae 20 postremo oboedientia aut quis dei cultus, nisi iubentis imperiis consequens esset et similitudo famulantum? **7.** Quod si propter uniuscuiusque uoluntarium malum creator est arguendus, quod dici nefas est, et de omnibus hoc modo argui potest, quia ad bonum usum facta sunt 25 omnia, et malos exitus habent, si his aliter uti uelis. **8.** Numquid malum est ignis? Et certe, quae importune admoueris, exuruntur. Terra obruit, sed cum subruitur. Non naufragiis maria congregata sunt, et tamen intempestiue ratibus adita submergunt. **9.** Numquid ad deci- 30 dendum celsa constructa sunt? Et nisi summis cautius consistamus, excidimus. **10.** Vertendae in sulcos terrae

6 aut²: ab CP^ac || hominibus: omnibus C || 15 hoc est *om.* BV CP *a*¹ || sicut iam: si ut iam B T si utinam L || quodam: quorum *κ* || 18 aut: et *κ* || 19 uoluntati *a*¹⁻²*gm* || 21 et *om β edd.* || 24 quia: qui CP^pr.m. || sunt *om.* B || 28-29 intempestatiue P || 29 ratibus adita: rates V || 30 nisi: + in B^sec.m.

quelqu'un qui lui résiste et un ennemi pour les hommes. **2.** Mais quelle est la raison pour laquelle il a été fait? C'est ce que tu dois maintenant me décrire, si ta science y suffit.

ZACHÉE. **3.** Dieu n'a rien fait de mal au plus profond de son œuvre et rien de nuisible n'a été placé dans ces créatures, mais le mal est plutôt ce qui est l'objet des désirs de ces dernières, car toutes choses ont été faites afin d'être agréables et non de nuire. **4.** Mais Dieu donna d'abord aux anges, ainsi que, plus tard, aux hommes une libre volonté, sinon, ils n'auraient surpassé en rien la nature des animaux privés de la parole. Cela veut dire, comme je l'ai déjà dit dans le cas de l'homme, que pour des êtres placés dans une sorte d'état d'inertie et d'ignorance, soit tout serait permis, soit tout serait nécessaire. **5.** Est-ce que donc Dieu, qui est source de toute raison, allait se créer des ministres sans raison? Et quel caractère rationnel aurait leur faculté de penser si leur volonté n'avait aucun pouvoir? **6.** Enfin quels seraient l'obéissance et le culte rendus à Dieu, si des ordres qu'il donne ne découlait pas aussi une ressemblance entre lui et ceux qui le servent? **7.** Et s'il faut, à cause du mal volontaire fait par chacun, accuser le créateur – c'est là un propos sacrilège –, on peut l'accuser de tout de la même façon, car toutes choses ont été faites en vue d'un bon usage, et elles produisent des résultats mauvais si on veut les utiliser autrement. **8.** Dira-t-on que le feu est un mal? Et pourtant, ce qu'on approche à tort de lui est brûlé. La terre nous engloutit, mais c'est quand ses fondements sont ébranlés. Les mers n'ont pas été rassemblées pour provoquer des naufrages, et pourtant, quand les navires y pénètrent au mauvais moment, elles les font chavirer. **9.** Les cimes ont-elles été érigées pour tomber? Et pourtant, à moins de nous tenir sur les sommets avec prudence, nous tombons. **10.** C'est pour retourner la terre en sillons

atque excidendorum causa lignorum ferrum hominibus datum est, et exin gladios bella sumpserunt. **11.** Numquid in reste mors posita est? Et multi uitam laqueo finiunt. 35 Quis hominum lapidationibus saxa, quis ligna crucibus deputauit? **12.** Numquid summae dignitates idcirco regibus dantur ut tyrannides facilius adsumantur? Quam bona creatio uini est, et acceptum effusius gignit insaniam. **13.** Ipsi herbarum suci, qui profuturis medicaminibus 40 admiscentur, aut suae uis insciis nocent, aut largius hauriuntur, et perimunt. **14.** Creandorum liberorum causa sunt permissa coniugia, et ex licitis coitibus adulteria admittuntur illicita.

15. Quid, rogo, aequius facere deus debuit quam ratio- 45 nabilem angelorum et hominum creaturam, atque hanc nec libertate priuaret, et scientia cautionis imbueret? **16.** Quod si futuri praescius deus creare huiusmodi aut caeteris praeferre non debuit, ergo nec hominem facere aut cunctis praeferre debuerat, quem peccaturum sciebat, 50 et, sicut tu dicis, ne ipsa quidem fieri elementa debuerunt, si nullius erant usui profutura, uel quoniam nocere uniuersa possunt, si hisdem non ita utaris ut facta sunt. **17.** Quanto hic diuinae prouidentiae probabilior ordo est, idcirco illi primum summa committere, qui erat ausurus 55 illicita, ut adtentior successuris cura iustitiae et amare creatorem institueret et timere, ac simul temptari eum nec ab angelis impune monstraret, qui ob praesumptionem etiam

32 homini *β* || 33 et *om.* B LT || exin : ex hinc B CM || gladius VT || sumsit V || 34 resti P *a*$^{1-2}$*gm* || 36 idcirco : + a CP || 37 tyrannides : tyrannidies *κ* a [*om.* VT] tirannis [ty- V] BV T tyrannus L || adsumatur L *κ* || 38 accepto V -tus LT || infusius B LT || 40 suae uis : saeuius *β* *a*$^{1-2}$*gm* || 44 deus *om.* P$^{pr.m.}$ || 46 priuare B$^{sec.m.}$ priuarit L || scientiam V || imbuere B$^{sec.m.}$ || 50 tu *om.* B || ne : nec V || 51 usui *om.* C uisui P || 55 adtentius LT^{pc} -tiur T^{ac} || 55-56 amare... timere : -ari... -eri B^{ac}L *κ* -ari... -eri [-ere T^{ac}] T^{pc} || 56 nec : ne V || 57 etiam *om.* CP

et couper les arbres que le fer a été donné aux hommes, mais c'est de lui que les guerres ont tiré les épées. **11.** La mort a-t-elle été placée dans la corde? Et pourtant beaucoup finissent leur vie par un nœud coulant. Qui a destiné les pierres aux lapidations d'hommes, et le bois aux croix? **12.** Les dignités les plus élevées sont-elles données aux souverains afin qu'ils s'emparent plus facilement des tyrannies? Qu'elle est bonne, la création du vin! Et pourtant, pris avec trop d'abondance, il engendre le délire. **13.** Les sucs mêmes des herbes, qui sont mêlés aux médicaments destinés à guérir, nuisent à ceux qui ignorent leur puissance, ou sont pris en trop grande quantité et sont mortels. **14.** Les mariages ont été permis pour procréer des enfants, et pourtant, c'est à partir des unions licites que sont commis les adultères illicites.

15. Qu'est-ce que Dieu, dis-moi, je te le demande, aurait dû faire de plus juste que ces créatures raisonnables que sont les anges et les hommes, que de ne pas les priver de liberté et de les imprégner de la science de la prudence? **16.** Et si Dieu, qui a la prescience du futur, ne devait pas créer de telles créatures ni les préférer aux autres, il n'aurait donc pas dû faire l'homme non plus et le préférer à tous, sachant qu'il pécherait, et, comme tu le dis toi-même, les éléments non plus n'auraient pas dû être faits s'ils ne devaient servir à l'usage de personne, ou puisque toutes les choses peuvent nuire, si on ne les utilise pas comme elles ont été faites. **17.** Combien plus louable est la disposition de la Providence divine qui consiste à remettre d'abord ce qui est le plus élevé à celui qui allait oser des entreprises illicites, pour qu'une préoccupation plus attentive de la justice soit le fondement, pour ceux qui viendraient après lui, de l'amour et de la crainte du créateur, en faisant voir que Dieu ne se laisse pas provoquer impunément par les anges, puisqu'il avait fait déchoir même un archange à cause de sa pré-

archangelum deiecisset? **18.** Vides ergo dei creatione bonum factum, atque ipsius beneficio in sublimibus consti-
60 tutum, uoluntate propria, quam liberam acceperat, et bonitatem mutasse malitia, et dignitatem insolentia perdidisse.

XXXIII. Si peccauit diabolus cum sociis, quare non statim interfectus est?

APOLL. PHILOS. **1.** Etiam haec cum ratione facere uidentur quae de diaboli creatione casuque dixisti. **2.** Sed quid
5 causae sit quod post ausum tantae temeritatis, sicut iam quaesiui, deletus statim cum satellitibus non fuerit, signanter edissere.

ZACH. CHR. **3.** Dei iudicium non tantum ex potestate, sed ex ratione est, qui in condemnationem non iudicantis
10 solam uult esse sententiam, nisi et conscientiam delinquentis, per quandam paenitentiae comperendinationem misericordiam semper ad se reuerti cupientibus praestans. **4.** Et licet in omni aequitate sua iustus sit, est tamen in miseratione propensior, neque ad ulciscendum celeri indi-
15 gnatione festinat, cuius iudicio nemo succedit. **5.** Saluare ergo, non perdere, quod creauit studet, et inde inenarrabilis patientiae, nec praecipitis aliquando uindictae est. **6.** Quod si idem diabolus caeterique eius perditionis socii ante augmenta consequentium flagitiorum et secretorum
20 caelestium, quae ex parte sciebant, proditionem obnoxias paenitentiae manus dedissent, humilitatis exoratione crimen superbiae diluentes, profecto in eos honor redisset angelicus, nec miseri in eorum nunc sordibus uoluerentur,

58 archangelorum deiecisset P archangelorum primum eiecisset C || 59 sublimis P || 61 malitia : in aliam V

XXXIII, 9 condemnatione β || 10 nisi : sed B[sec.m.] || 11 paenitentiae : patientiae B || 13 omni : omnia CM || aequitate : equalitate CP || 17 uindicta V || 19 flagitiorum : + delictorum C || 21 humanitatis CP || 22 eos : eis V

somption. **18.** Tu vois donc qu'ayant été fait bon par la création de Dieu, et établi, par un bienfait de ce dernier, à une position très élevée, il a, par sa propre volonté, qu'il avait reçue libre, changé sa bonté par méchanceté et perdu sa dignité par son insolence.

XXXIII. Si le diable a péché avec ses alliés, pourquoi n'a-t-il pas été tout de suite anéanti?

APOLLONIUS. **1.** Ce que tu as dit de la création et de la chute du diable semble également s'accorder avec la raison. **2.** Mais expose-moi avec clarté ce qui justifie qu'après une entreprise d'une telle témérité, il n'a pas été, comme je l'ai déjà demandé, aussitôt détruit avec ses satellites.

ZACHÉE. **3.** Le jugement de Dieu ne découle pas seulement de sa puissance, mais de sa raison : il ne veut pas que le juge s'occupe seulement d'une sentence de condamnation sans prendre en compte aussi la conscience de celui qui a fauté, offrant toujours sa miséricorde, par le moyen d'un certain délai consacré à la pénitence, à ceux qui désirent revenir à lui. **4.** Et, bien qu'il soit juste en toute son équité, il est pourtant davantage porté à la compassion et il ne se hâte pas d'infliger le châtiment dans une course indignée, car personne n'échappe à son jugement. **5.** Il s'efforce donc de sauver et non de perdre ce qu'il a créé, et, de ce fait, il est d'une patience indicible et n'est jamais porté à une vengeance hâtive. **6.** Si donc le diable et les autres alliés de sa perdition avaient tendu leurs mains criminelles à la pénitence avant les accroissements de leurs infamies qui suivirent et avant la trahison des secrets célestes qu'ils connaissaient en partie, effaçant par une humilité expiatoire leur crime d'orgueil, l'honneur d'être des anges serait sûrement revenu en eux[1], et à présent, ils ne se vautreraient pas, ces misérables,

1. Voir Appendice II, t. 2. p. 241.

quos captos nequitiarum laqueis deprimunt, et infelici
25 sorte uitiorum tamquam in solatium suae perditionis
asciscunt.

7. Vide praetera inter delicta et iustitiam hominum daemonumque certamen et, compugnantibus inter se luxu atque uirtutibus, praemium immortalitatis existere.
30 **8.** Spectat nos cottidie praeliantes meritorum arbiter deus, et spiritales insidias fragili corpore superari placidus intuetur. **9.** Debuit profecto tam sublimis creaturae culpa sic plecti, et erecta in deum angeli superbia hominibus subiugari, ut, qui sibi auctorem suum praeesse noluerat,
35 subditorum prius nunc imperia pateretur. Et quamlibet in peiorem partem homines uoluntatis suae dominos pertrahat, plures tamen prae se ad dei sedem uirtutum ac fidei probatione transmittit. **10.** Vides ergo diabolum eiusdemque participes futuro iudicio per prouidentiam dei
40 etiam cum quadam hominum utilitate seruatos, ut et longanimitas creatoris lapsis paenitentiae locum daret, et, si indulgentiae spatia nihil profecissent, sua potius quam dei sententia damnarentur. **11.** Quorum reatui cottidie extrinsecus illud accrescit quod, licet ad iustitiam hisdem impu-
45 gnantibus exerceamur, nihilominus tamen et eo magis obtinet terrena fragilitas quod hi nullo aduersante in substantia angelica perdiderunt.

26 adducunt *κ* || 28 et : ex *a²gm* || 29 mortalitatis C || 30 meritorum *om.* P || 33 electa in deum angeli LT angeli elata in deum C elata in deum angeli P || 34 noluerit *a¹⁻²gm* || 37 pre B per V *a²gm* || 38 transmittunt BV || 43-44 extrinsecus *om.* B CM || 45 et *om.* *κ* || 46 quod hi : quam *a¹* || in *om.* P || 46-47 substantiam angelicam P || 47 pertulerunt C

1. Nous faisons de *extrinsecus* une préposition qui se rattache à *reatui* et non un adverbe. Le texte original avait peut-être le génitif *reatus* au lieu du datif. Zachée veut dire que si les crimes des démons sont bel et bien l'occasion du mérite humain, ils n'en sont pas la cause, qui reste la volonté humaine, extérieure aux démons.

dans les souillures de ceux qu'ils oppriment après les avoir pris aux filets de leurs malfaisances et qu'ils s'attachent par le lot infortuné des vices, comme une consolation à leur propre perdition.

7. Vois également la lutte des hommes et des démons, qui se joue entre les péchés et la justice, et, alors que la vie de jouissance et les vertus se livrent un combat, vois apparaître la récompense de l'immortalité. **8.** Dieu, arbitre de nos mérites, nous regarde chaque jour combattre et contemple avec bienveillance la victoire remportée par la faiblesse de notre corps sur leurs embûches spirituelles. **9.** Sûrement, la faute de cette créature si élevée devait être punie, et l'orgueil dressé contre Dieu de cet ange, soumis aux hommes de telle sorte que, pour n'avoir pas voulu que son créateur soit placé avant lui, il subisse maintenant les ordres de ceux qui lui étaient auparavant subordonnés. Et, bien qu'il entraîne dans la mauvaise direction des hommes maîtres de leur propre volonté, il en pousse pourtant de plus nombreux encore, devant lui, vers la demeure de Dieu, en éprouvant leurs vertus et leur foi. **10.** Tu vois donc que le diable et ceux qui sont associés à lui ont été conservés pour le jugement futur par la Providence de Dieu avec même une certaine utilité pour les hommes : ce fut afin que la longanimité du créateur donnât à ceux qui ont chuté l'occasion de faire pénitence et que, au cas où ces délais accordés par l'indulgence divine ne leur auraient servi à rien, ils fussent condamnés plutôt par leur propre sentence que par celle de Dieu. **11.** Chaque jour s'accroît, indépendamment de la faute du diable et de ses associés[1], ce que, bien que nous luttions pour la justice contre les attaques de ces derniers, notre faiblesse terrestre gagne tout de même et ce d'autant plus qu'ils ont, eux, perdu cela en leur nature angélique, alors qu'il n'y avait personne pour leur faire opposition.

XXXIV. Quare deus non angelum misit, qui aut hominem restitueret, aut diabolum perderet?

APOLL. PHILOS. **1.** Intellego adsertionis tuae summam in hanc uenire sententiam, ut dei Filium Christum non solum
5 ad restituendum hominem, uerum etiam ad condemnandum diabolum eiusque consortes, uel iam ad terras uenisse, uel iterum uenturum esse confirmes. **2.** Quod si ita est, potuit et angelus mitti, qui absque iniuria dei et discretos a bonis malos perderet, et ipsum cum sociis
10 malorum principem diuina auctoritate puniret.

ZACH. CHR. **3.** Prima est quidem causa, qua Christus dei Filius ueniendi ad terras habuit uoluntatem, ut uel periturum hominem perire non sineret, uel perditum repararet. **4.** Sed hoc quoque eius prouidentiae iunctum est,
15 ut diabolum atque ipsius socios, sicut in homine in primo superauit aduentu, ita in homine iudicet in secundo. **5.** Nec difficile deo fuit, per quamlibet caelestis militiae potestatem finem praesenti saeculo mittere, et punire praedictos, sed quia memoratus nequitiarum auctor deum se,
20 sicut iam exposui, uoluisset uideri, ut coram qui uterque esset ab angelis et hominibus nosceretur, manifestari dei Filium uisibiliter oportuit et praesumptorem cominus confutari, ut nulla deinceps de intellectu unius maiestatis apud utramque creaturam dubitatio linqueretur. **6.** His
25 praeterea additur causis quod hominem sub condicione immortalem antea factum idem restituere in melius debuit,

XXXIV, 4 dei filium *om.* β || 6 iam : etiam V || 8 angelos mittere V || 12 uenit κ || habuit uoluntatem *om.* κ || 15 homine in primo : primo homine C || 17 quemlibet C || 18 dimittere V || 25 condicione *scripsi* : -tione *codd. edd.*

---

1. S'il avait envoyé un ange, Dieu aurait pu paraître incapable de faire justice lui-même. Le thème de ce chap. se retrouve dans l'AMBROSIASTER, *Qu.* 113. Parallèle découvert par C. MARTINI, *Ambrosiaster* (*Spicilegium Pontificii Athenaei Antoniani,* 4), Rome 1944, p. 36.

XXXIV. Pourquoi Dieu n'a-t-il pas envoyé un ange afin de rétablir l'homme et de provoquer la perte du diable[1] ?

APOLLONIUS. **1.** Je comprends que l'essentiel de ta thèse aboutit à affirmer que le Christ, non seulement pour rétablir l'homme, mais pour condamner le diable et ses associés, est déjà venu sur terre et y reviendra à nouveau. **2.** S'il en est ainsi, c'est un ange qui aurait pu être envoyé, afin que, sans préjudice pour Dieu, il fasse périr les méchants après les avoir séparés des bons et, par l'autorité de Dieu, punisse le chef des méchants lui-même avec ses alliés.

ZACHÉE. **3.** La première raison pour laquelle le Christ Fils de Dieu a eu la volonté de venir sur terre, c'est d'une part pour ne pas laisser périr l'homme qui était sur le point d'en arriver là, d'autre part pour restaurer celui qui était perdu. **4.** Mais il est aussi du ressort de sa Providence, tout comme il a battu le diable et ses alliés dans l'humanité lors de sa première venue, de les juger dans l'humanité lors de sa seconde venue. **5.** Il n'aurait pas été difficile à Dieu, par je ne sais quelle puissance de l'armée céleste, de mettre fin au monde présent et de les punir, mais puisque l'auteur des malfaisances dont j'ai parlé avait voulu, comme je l'ai déjà montré, être considéré comme Dieu, il a fallu, pour que soit reconnu ouvertement par les anges et les hommes qui était le diable et qui était Dieu, que le Fils de Dieu se manifeste visiblement et que l'usurpateur soit directement réprimé, afin qu'aucun doute ne soit ensuite laissé chez ces deux créatures concernant la compréhension de l'unique majesté divine[2]. **6.** A ces raisons s'ajoute le fait qu'il revenait à celui-là même qui l'avait antérieurement façonné de rétablir dans un état meilleur l'homme fait

2. Cf. AMBROS., *Qu.* 113, 6 (*CSEL* 50, p. 301).

qui ante plasmauerat. **7.** Etenim indecens erat, si a deo corruptibilis homo factus ab angelo incorruptibilis redderetur, postea quam hoc fidei probatione meruisset. **8.** Quid
30 uero dei munificentia dignius, quam ut praesentiam suam in summam beatitudinis praestet, et, quod homini negauerat inexperto, indulgeat restituto, ut postremo, quem tantis malorum passionibus sequimur, quem cum saeculi inuidia et periculis confitemur et credimus, sicut cupimus,
35 ab his omnibus liberati in sua uideamus maiestate regnantem?

XXXV. Cur iniqui florent et recti premuntur?

APOLL. PHILOS. **1.** Firmata est intra animum expositorum fides, sed, ut nihil cunctationis resideat iam credenti, pande, quaeso, quae uis uel florere iniquos facit, uel
5 deprimit rectos, ut, cum de homine, sicut aperuisti, tanta sit deo cura, tam praua nihilominus utrosque diuersitas agat ut, cum in illis malorum et uoluntas et actus sit, copia e contrario cedat bonorum, his prospera denegentur, quos magis aequum est esse locupletes.
10 ZACH. CHR. **2.** Facilis rei istius intellectus est, nec tota in spiritalibus experimenta quaerenda sunt, quoniam euidenter etiam praesens conuersatio docet quo pacto aut iniquis adfluant cuncta, aut necessaria bonis desint. **3.** Hi

27 qui ante plasmauerat *om.* *β* || 29 postquam CP || 35 liberi *β*
XXXV, 4 uel[1] *om.* LT $a^{1\text{-}2}$*gm* || 5 ut : et *β* CM $a^{1\text{-}2}$*gm* || 7 in *om.* C || 8 e *om.* *gm* || bonorum : + et B

auparavant conditionnellement immortel. **7.** En effet, il n'aurait pas été convenable que l'homme, fait corruptible par Dieu, fût rendu incorruptible par un ange après l'avoir mérité par la mise à l'épreuve de sa foi. **8.** Or qu'est-ce qui est plus digne de la générosité de Dieu que d'offrir sa présence pour porter à son comble notre béatitude et d'accorder à l'homme rétabli ce qu'il avait refusé à l'homme non encore éprouvé : qu'enfin celui que nous suivons en endurant des maux si nombreux, celui que nous confessons et auquel nous croyons dans la haine et les dangers du siècle, nous le voyions, comme nous le désirons, une fois libérés de tout cela, régnant dans sa majesté?

XXXV. Pourquoi ceux qui commettent l'injustice sont-ils prospères et les justes opprimés?

APOLLONIUS. **1.** La foi en ce que tu m'as exposé a été fortifiée en mon âme, mais afin qu'aucun doute ne demeure pour moi qui suis déjà croyant, dévoile-moi, je t'en prie, quelle puissance rend prospères ceux qui commettent l'injustice et rabaisse les justes; ainsi, bien que Dieu ait une si grande préoccupation de l'homme, comme tu me l'as expliqué, une diversité aberrante n'en mène pas moins les uns et les autres, et dès lors, même si la volonté et la conduite sont, chez les premiers, ordonnées au mal, en revanche une abondance de biens est à leur disposition, tandis que la prospérité est refusée aux seconds alors qu'il est plus équitable qu'ils soient riches.

ZACHÉE. **2.** La compréhension de ce fait est aisée, et il ne faut pas en rechercher des preuves uniquement dans le domaine spirituel, puisque la vie quotidienne montre aussi avec évidence comment tous les biens affluent vers ceux qui commettent l'injustice et comment le nécessaire manque aux bons. **3.** Les premiers en effet,

enim uersa actuum uice non solum pertinaciter quaesita
15 concludunt, uerum insuper populantur aliena, hi quibuslibet lucris totius uitae tempus addicunt[a] et in pecunia spem requirunt[b]. **4.** Hi autem propter occasionem delicti etiam honesta compendiorum studia deuitant, ac bene parta pertinaciter non tuentes quietem iurgiis praeferunt
20 et auctorem iustitiae uindicem sperant. **5.** Additur quod prauos miseratio numquam permouet[c] aut ad data exigua uix educit. **6.** His uero inopum sumptus honori est et prompta semper in opere bonae uoluntatis expensa. **7.** Quia uero morum subuersio ex abundantia maxime
25 uenit, suos tantum incentor criminum fouens largas exultantibus sufficit opes, ut in successibus gaudiorum luxuria subrepat; deinde in comessationem exuberatio uertitur, et, captiua temulentia[d], uitiis irrigatur. **8.** Hinc ad deum minor abundantibus cura est et fiducia praesentium sperare non
30 sinit diuitias futurorum. **9.** Prolixae autem patientiae deus et tumentes in dissolutionem proici sinit, et angustatos in passione confirmat, promissum cunctis iudicium redditurus, ut hoc illic percipiat unusquisque, quod hic egerit, hoc in perpetuum patiatur, quo inferiores ac subditos
35 temporarie despiciendo uexauerit.

18 bene : + pacta uel P|| 19 parta : parata BV || non tuentes : pertinentes P || 20 sperant : spernent P || 22 honeri CM^{pc}T oneri B^{ac}L M^{ac}P *a*^{1} operi *a*^{2}*gm* || 24 horum *β* || 25 insertor CP || 26 in *om.* *κ* *edd.* || luxoria *constanter* P || 27 comissationem *mo* comessatione BV || uertatur *a*$^{1-2}$*gm* || 28 irrigetur *a*$^{1-2}$*gm* inrogatur *κ* *mo* || minor : maior B$^{pr.m.}$V || 31 et^{1} : ut B^{ac}V || 33 legerit LT gesserit *κ* || 35 conuexauerit *κ*

XXXV. a. *Cf.* Sag. 15,12 b. *Cf.* Sir. 31,8 c. *Cf.* Sir. 28,4 d. *Cf.* Rom. 13,13; Gal. 5,21

dans des activités contradictoires, non seulement enferment les biens qu'ils ont recherchés avec ténacité, mais pillent en plus les biens d'autrui, ils consacrent le temps de toute leur vie aux profits[a] quels qu'ils soient, et c'est dans l'argent qu'ils recherchent leur espérance[b]. **4.** Les seconds en revanche, par crainte de l'occasion de commettre une faute, évitent même d'honnêtes efforts en vue des bénéfices, et, ne conservant pas avec ténacité ce qu'ils ont acquis avec justice, ils préfèrent la paix aux procès et espèrent en l'auteur de la justice comme en leur protecteur. **5.** A cela s'ajoute que la compassion n'émeut jamais les hommes mauvais[c] ou les amène à peine à donner de petites choses. **6.** Mais les autres ont en honneur les dépenses pour les pauvres et ils sont toujours prêts à se mettre en frais pour des œuvres de bonne volonté. **7.** Or, parce que la subversion des mœurs vient surtout de l'abondance, l'instigateur des crimes, choyant seulement les siens, leur fournit, pour leur jubilation, de grandes richesses, afin que le goût du luxe progresse grâce aux succès qu'ils ont remportés dans la joie; ensuite, la surabondance de leurs biens se tourne vers les ripailles, et, prisonnière de l'ivresse, elle est irriguée par les vices[d]. **8.** C'est pourquoi ceux qui vivent dans l'abondance se soucient moins de Dieu, et la confiance dans les biens présents ne leur permet pas d'espérer les richesses du futur. **9.** Mais Dieu, qui est d'une longue patience, permet que ceux qui sont enflés d'orgueil se jettent dans une vie dissolue, tandis qu'il fortifie ceux qui, dans leur souffrance, sont pauvres, s'apprêtant à rendre à tous le jugement promis afin que chacun reçoive là-bas le prix de ce qu'il a fait ici-bas, que chacun subisse pour l'éternité ce par quoi il a blessé les humbles et ceux qui lui étaient soumis en les ayant temporairement dédaignés.

XXXVI. Si iustus est deus, quare infantes malorum nescii diuersis malis adficiuntur?

APOLL. PHILOS. **1.** Aperte etiam huius interrogationis membra patuerunt, et nisi molestum uererer aliquid
5 tamquam in cumulum praestitae hactenus expositionis adicere, non superuacue inquirerem, quid hoc sit quod uitiorum ac peccatorum penitus inscii diuersis malis adficiuntur infantes, ac nonnumquam ex utero prodeuntes aut debilitas occupat, aut ad mortem immatura uis prae-
10 ripit, quod saeua innoxios uexat insania, nec maiestatis indubie pietas et iustitia omnibus prompta succurrit. **2.** Vnde si, ut dixi, taedium non est, breuiter cuncta ostensurus eloquere.

ZACH. CHR. **3.** Amplius quidem postulas quam sufficere
15 possit credenti, et necessariae scientiae terminos inquisitione progrederis. Sed ne in fidei susceptione ex aliquo incertus nutes aut haereas, atque ut in nullo de dei iustitia infidelium disputatio locum teneat, quid usus attenuatioris uitae docuerit, aduerte.

20 **4.** Ex quattuor elementis hominem deus fecit, siccis, humidis, calidis, frigidisque. **5.** In splene frigida, calida ponuntur in felle ; in sanguine humida, sicca reputantur

XXXVI, 4 modestum P || 7 ac peccatorum *om.* β || 8 ex : de B || 16 praetergrederis *a*^{2}*gm* || 17 atque ut in nullo *conieci* : adque in nullam T atque ut nullum κ *a*^{1} utque in nullo B^{pc}*mo* atque in nullo B^{ac}V L *a*^{2}*gm* || 18-19 quid usus attenuatioris [att- *conieci*] uitae docuerit : quid... attentioris... docuerit κ *mo* quid [+ ex hoc B$^{sec.m.}$] sentiri debeat B$^{pr.m.}$V LT *a*$^{1\text{-}2}$*gm* || 20-42 ex – praeripit *om.* β

---

1. *Attenuatioris*. Cf. *TLL*, t. 2, art. « Attenuatus », col. 1126. La possibilité de lire *attentior* au lieu de *attentioris*, et d'en faire un adjectif à sens adverbial rattachable à *aduerte*, – ce qui se traduirait alors par « considère plus attentivement... » – doit être refusée, car les deux

XXXVI. Si Dieu est juste, pourquoi les petits enfants, qui ne connaissent pas le mal, sont-ils affligés de différents maux?

APOLLONIUS. **1.** Les éléments de cette question ont déjà été éclaircis, et si je ne craignais pas d'ajouter une demande ennuyeuse, sorte de surplus de l'exposé que tu m'as fait jusqu'ici, je ne m'écarterais pas du sujet en demandant pourquoi les petits enfants, qui ne connaissent absolument pas les vices et les péchés, sont affligés de différents maux, pourquoi la maladie s'empare parfois de ceux qui sortent du sein maternel ou pourquoi un malheur prématuré les emporte dans la mort, pourquoi un cruel délire tourmente ces innocents, sans que, assurément, la bonté et la justice de la divine majesté ne viennent avec empressement au secours de tous? **2.** Si donc, comme je te l'ai dit, cela ne t'ennuie pas, dis-le moi brièvement afin de tout m'expliquer.

ZACHÉE. **3.** Tu demandes vraiment plus que ce qui peut suffire à un croyant, et tu franchis dans ta recherche les limites de ce qu'il est nécessaire de connaître. Mais pour que, dans ton acceptation de la foi, aucun point mal défini ne te fasse douter ou hésiter, et pour que chez aucun des infidèles il n'y ait place pour une mise en question de la justice de Dieu, considère ce qu'enseigne l'usage de notre vie qui est bien chétive[1].

4. C'est à partir de quatre éléments que Dieu a fait l'homme : le sec, l'humide, le chaud et le froid. **5.** On place le froid dans la rate, le chaud dans la bile ; on estime que l'humide est dans le sang et le sec dans les

termes sont trop éloignés. La conjecture proposée remplace donc le génitif *attentioris* chez Morin. Une mauvaise lecture très ancienne a perturbé la compréhension du passage, puisque BV LT ont la *lectio facilior* : *quid sentiri debeat*.

in ossibus, miraque, ut intellegis, conspiratio haec ex contrariis factoris opus in homine conseruat, et diuinae
25 artis ingenio praestantiorem speciem sociata demonstrant, quam in semet prius singula retinebant. **6.** Sic ire semper in melius, quicquid a creatore renouatur, apparet. Haec ergo in conceptionem aequis partibus confluunt, atque ita ex omni uiscerum regione conueniunt, ut in nullo aequa-
30 litatem germina creationis excedant. **7.** Sed hanc nascendi integritatem aut parsimonia aut nimietas temperat parentis alterius, et quod male praeualuerit, coalescenti intra uterum uel mox ex utero prodeunti, aut ualitudines gignit aut mortes. **8.** Geminae enim in homine uenae sunt, quae
35 praecipuum inter omnes spiraminis ac sanguinis obtinent principatum, et ab ipsa sede uitalium exiguis meatibus sparsae totum corpus illustrant, notisque discursibus exploratum uitae iter ac peruium seruant. **9.** Quarum si alteram de praedictis uis aliqua praecluserit, perniciem haud
40 dubiae debilitatis ac mortis operatur. Vnde infantes saepissime aut totius lucis efficiuntur expertes, aut confestim paruulos immatura mors praeripit. **10.** Nonnumquam et ob eorundem parentum uel peccata uel merita infantum citus finis est, quia dilectorum ablatione probantur boni,
45 puniuntur iniusti, et qui se argui doloribus aliis damnisque non sentiunt, etiam orbitatibus adfliguntur. **11.** Iustos autem maior fidei ignis examinat, cum in

33 ualetudines *a*$^{1-2}$*gm* || 44 cetus T certus L

1. On peut retrouver ces enseignements épars notamment chez MACR., *Sat.*, VII, 4, 20; VII, 9, 11 (éd. J.A. Willis, Leipzig 1970, p. 411 et 430), et LACT., *Inst.*, II, 12, 4-5 (*SC* 337, p. 170 s.). Ils pourraient dépendre d'une source médicale ou philosophique antique, mais aussi, plus vraisemblablement, refléter les connaissances d'un rhéteur en matière de sciences naturelles, approximativement restituées de mémoire.

2. A comparer avec CIC., *Nat. Deor.*, II, 137-139. *Sedes uitalium* désigne vraisemblablement le cœur.

os[1], et, comme tu le vois, cette merveilleuse harmonie, faite de contraires, préserve, dans l'homme, l'ouvrage du créateur, et ce qui est associé par le génie de l'art divin manifeste une beauté supérieure à celle que chacun des éléments conservait auparavant en lui-même. **6.** Ainsi voit-on que tout ce qui est renouvelé par le créateur va toujours vers quelque chose de mieux. Ces éléments donc convergent lors de la conception en des proportions égales et ils se réunissent, en provenance de toutes les zones des entrailles, de telle manière que les germes de la création ne dépassent chez aucun homme la juste proportion. **7.** Toutefois, le défaut ou l'excès présent chez l'un des parents affaiblit cette bonne santé à la naissance, et l'élément qui a malheureusement prédominé procure à celui qui grandit dans le sein maternel, ou qui va bientôt en sortir, la maladie ou la mort. **8.** Mais il y a dans l'homme deux veines qui, parmi toutes les autres, ont une importance particulière pour la respiration et le sang, et qui, à partir du siège des organes vitaux, parcourent tout le corps, répandues en d'étroits canaux, en conservant, à travers des détours bien connus, le chemin de la vie sûr et ouvert[2]. **9.** Si une force quelconque obstrue l'une d'elles, elle produit le malheur d'une maladie et d'une mort indubitables. C'est pourquoi, il arrive très souvent que les petits enfants viennent au monde totalement privés de la vue, ou qu'aussitôt une mort prématurée les emporte tout petits. **10.** Parfois, c'est aussi à cause des péchés ou des mérites de leurs parents que les petits enfants ont une mort rapide, car par l'enlèvement de ceux qui leur sont chers les bons sont éprouvés et les méchants sont punis; et ceux qui ne sentent pas que d'autres douleurs et d'autres malheurs constituent pour eux une mise en garde sont aussi frappés en étant privés de leurs enfants. **11.** Mais les justes, c'est le feu de leur foi, devenu plus intense, qui les met à l'épreuve,

leuioribus stabiles etiam amissione probantur adfectuum.
12. Quod uero nondum boni uel mali conscios infanda
50 daemonum uexat insania, patrum quidem, sed distantibus
modis causa est. **13.** Si iniqui sunt nec praedictis uel
similibus castigationibus emendantur, etiam innocentum
suorum tamen arguuntur exitiis. **14.** Hi autem quibus
conuersatio recta est, et per se malitiam diabolicam
55 superant, etiam talibus fatigantur insidiis, neque a tae-
diorum exercitio uacant, quibus nocere aliter uis dolosa
non praeualet, ad hoc malorum uersutiam semper inuo-
luens, ut, siue ob uitia seu propter fidem ista proueniant,
aut iniquum aut neglegentem deum, si quibus forte
60 suadere possit, adfirmet. **15.** Sed qualibet arte uel paruulos
cruciet uel parentes, dei iustitia in utroque non deest.
Nam et infantibus translatio ex malis uitae istius melior
etiam hoc praestat, ne ex improbis geniti similes quan-
doque efficiantur auctoribus. Et hisdem qui genuerunt pro
65 beneficio reputandum est quod temporario uexatorum
dolore aut peccatis eruuntur et boni sunt, aut meritis
augentur, et in fide crescunt.

16. Habes ergo interrogationum tuarum causas et
omnium ambiguitatum intellectum patentem. **17.** Itaque
70 iam subditus deo promissam consilio fidem redde, abiec-
taque hac mundi sapientia, uerae sapientiae adfatibus

49 boni uel mali *om.* P || 53 tamen *om.* *β edd.* || exitus P^pr.m.^ *a*[1] || 55 etiam : + tamen P *a*[1-2]*gm* || fatigantibus C || 56 noceri C no**** P || aliter uis : alterius P || 58 ob uitia : obuiantia B[ac]V M || 59 quis CP *a*[1] || 62 et *om.* C || ex : a B *om.* V LT *a*[2]*gm mo* || 63-64 genti... auctores [-ris T] V T geniti... auctoris L || 64 genuerint P || 65 temporaneo CP || 68 ergo *om.* *κ* || 70 concilio *κ* *om.* BV

---

1. Cf. TERT., *Anim.*, 57, 4 (*CSEL* 2, p. 865), où l'intervention des démons provoque la mort précoce des nouveaux-nés, et P.G. VAN DER NAT, art. «Geister», *RAC* 9 (1976), col. 751.

quand, demeurés fermes dans des circonstances plus faciles, ils sont même éprouvés par la perte de ceux qu'ils aiment.

12. Et si un cruel délire venant des démons tourmente ceux qui ne sont pas encore conscients du bien et du mal[1], c'est leurs parents qui en sont certes la cause, mais de façons différentes. **13.** S'ils sont iniques et ne sont pas améliorés par les châtiments précités ou d'autres semblables, ils sont pourtant encore mis en garde par le décès de leurs enfants innocents. **14.** Quant à ceux dont la conduite est juste, et qui surpassent par eux-mêmes la malice diabolique, ils sont également harcelés par ces attaques et ne cessent pas d'être en proie aux chagrins, puisque la puissance qui trompe ne peut pas leur nuire d'une autre manière, toujours occupée qu'elle est à dissimuler la ruse de ses malfaisances en se proposant – que ces événements arrivent par suite des vices ou dans l'intérêt de la foi – de leur faire croire que Dieu est injuste ou négligent, au cas où elle pourrait peut-être les en persuader. **15.** Mais, de quelque manière que cette puissance tourmente les petits ou leurs parents, dans les deux cas, la justice de Dieu ne leur fait pas défaut. En effet, pour les petits enfants aussi, l'éloignement des maux de cette vie offre même l'avantage que, s'ils ont été engendrés par des parents injustes, ils ne leur seront pas un jour semblables. Et leurs géniteurs doivent estimer que c'est un bienfait soit d'être arrachés aux péchés par la douleur temporaire de ceux qui sont possédés et d'être bons, soit de voir leurs mérites augmenter et de croître dans la foi.

16. Tu as donc les solutions à tes questions et la claire compréhension de toute obscurité. **17.** C'est pourquoi, en te soumettant dorénavant à Dieu, fais montre de cette foi que tu avais le dessein de promettre, et après avoir rejeté la sagesse de ce monde, crois aux paroles de la

crede, et quaerere a te altiora desistens[a], rationem caelestium secretorum auctoris sui scientiae consilioque permitte. **18.** Nam licet nunc plura cognoueris, et de inte-
75 rioribus fidei aliqua supersint, non tamen putes omnia per hominem scire posse, quae dei sunt, nisi quae aut scire hominem ipse perdocuit, aut intellegere diuina aspiratione permisit. **19.** Age ergo, et fidem cordis simplicitate susceptam deuoti oris confessione testare. Nec graui
80 praeceptorum onere terrearis : leuis est seruitus dei, et intra uoluntatem hominis tota necessitas legis. **20.** Quam cum penitus reuelatam compereris, ita eius agnitione gaudebis, ut licet stimulet de ante acto errore paenitentia, maior tamen ueniat de confessione gratulatio.

XXXVII. Quae sit plenitudo legis dei

APOLL. PHILOS. **1.** Iam dudum uoluntas quam expetis prompta est, sed uelut oppleta ruderibus fundamentorum loca, ita mentem dubietatibus emundari, ignorantiam
5 scientia oportuit imbui, ut patentem fidei aditum ueterum purgatio firma prospiceret. **2.** Vnde, quia occupatiori dudum plena legis non potuit haerere reuelatio, digestam in pauca nunc repete, ut, quam propemodum non recepturus audieram, examinatam multipliciter cum ueneratione
10 suscipiam.

72 a te *om.* CM || rationum CP || 75 potes B LT potest V || 76 per *om.* κ *edd.* || posse *om.* β || 79 deuotionis confessione C[ac]MP *a*[1] deuotiori conf- B deuoti conf- oris L || 81-82 quae... reuelata β || 82 compereris : cognoueris CM || 83 licet : si β || 84 conuersatione κ conuersione P[sec.m.] *a*[1]

XXXVII, 6 occupato β || 7-8 digesta [-tam T] pauca LT

XXXVI. a. *Cf.* Sir. 3,22

vraie sagesse; cesse de rechercher ce qui est plus élevé que toi[a], et concède que l'explication des secrets célestes relève de la science et du dessein de leur auteur. **18.** Car bien que tes connaissances se soient accrues maintenant, et que certains éléments des profondeurs de la foi demeurent en toi, ne pense pourtant pas pouvoir connaître grâce à un homme tout ce qui concerne Dieu, à moins qu'il ne s'agisse des choses dont ce dernier a lui-même enseigné la connaissance à l'homme ou de celles que, par une inspiration divine, il lui a permis de comprendre. **19.** Allons donc! Témoigne, par la confession d'une bouche pieuse, de la foi que tu as accueillie avec simplicité de cœur. Et ne sois pas effrayé par la lourde charge des commandements: léger est le service de Dieu, et toute la contrainte imposée par sa loi reste dans les limites de la volonté de l'homme. **20.** Cette loi, quand tu l'auras trouvée complètement révélée, tu te réjouiras tant de sa connaissance que, même si tu es tourmenté par le repentir de tes anciennes erreurs, plus grande sera pourtant la satisfaction qui te viendra de ta profession de foi.

XXXVII. Quelle est la plénitude de la loi de Dieu

APOLLONIUS. **1.** Depuis longtemps, la volonté que tu réclames est prête, mais comme on le fait pour les lieux recouverts par les décombres des fondements d'un édifice, il a fallu que mon esprit fût purifié des doutes, que mon ignorance fût imprégnée par la science, afin qu'une élimination radicale des vieilles erreurs me procurât une large voie d'accès à la foi. **2.** C'est pourquoi, puisque la pleine révélation de la loi n'a pas pu s'attacher à moi, qui, il y a un instant, étais encore trop possédé par ces erreurs, répète-la maintenant, résumée en peu de mots, pour que je l'accueille avec respect après l'avoir examinée de multiples façons, alors que je l'avais écoutée sans être totalement disposé à la recevoir.

ZACH. CHR. **3.** Repetam plane, et animae uisceribus intimandam breuioribus eloquar uerbis. **4.** Christianis fidei integritas plenitudo iustitiae est, id est : deum nosse, colere, timere, diligere, manu facta nec adorare nec colere[a], nec 15 profanis immolatorum cibis uesci[b]. **5.** Ecce iam non copiosae cruoribus hostiae aut odor polluti ignis exposcitur. Enixe deum colueris, si temet pro omnibus deo dedas, duo ex omnibus praecipua tenturus praecepta, ut deum plus quam te, sicut te autem hominem diligas[c], 20 quia nec prodesse sibi ullus ex se tantum potest, ut ille uel omnibus in commune uel singulis. **6.** Quid autem aequius quam ut sicut te hominem diligas, a quo te similiter diligi, si consularis, exoptas ; sic praestare quemadmodum et cupere bona ; certe non propter caducam 25 breuissimi temporis uoluptatem spem beatissimae aeternitatis excludere, nec tueri praesentium uanitatem ac fidem destruere futurorum ; cum ex duobus conducibilius fore alterum clareat, non dicam sub dei, sed cuiuslibet honesti hominis arbitrio spem ponere, et propter electionem 30 uenientium praesentia spernere, quam ob praesentium transeuntem usum mansura praeterire?

12 christianae L κ a^1 || 15 iam non : iam hic non M hic non C non hic P || 16 cruoribus : cruor a^2*gm* || 16-17 exposcitur : + // *in* B + si V || 17 pro : prae L || 18 dedas : das $B^{pr.m.}$V || 19 autem *om.* B LT || 20 quia : qui C || ut : quantum CP a^{1-2}*gm* || 23 diligi *om.* V || consolaris LT $P^{pr.m.}$ -solari M a^{1-2}*gm* || prestolare P || 26 bonitatem κ || 27 distribuere BV || 28 honesti *om.* C || 29 arbitrio – et : sponsione κ || 30 quam : quia V || 31 praeterire : spernere CM

XXXVII. a. *Cf.* Ex. 20,5 b. *Cf.* Act. 15,29 c. *Cf.* Matth. 22,37-39

1. Comme chez LACTANCE, *iustitia* règle ici non seulement les rapports des hommes entre eux, mais aussi avec Dieu. Voir comm. du livre V des *Inst.* dans *SC* 204, p. 59.

2. L'auteur remplace le *proximum* du texte biblique par *hominem*, comme LACT., *Inst.*, VI, 10, 1-2 (*CSEL* 19, p. 514) ; cf. H. PÉTRÉ, *Caritas*, Louvain 1948, p. 154.

ZACHÉE. **3.** Je la répéterai certes, et, pour l'inculquer aux entrailles de ton âme, je l'exposerai en un assez bref discours. **4.** Pour les chrétiens, l'intégrité de la foi consiste dans la plénitude de la justice[1], c'est-à-dire : connaître Dieu, lui rendre un culte, le craindre, l'aimer, ne pas adorer d'objets faits par la main de l'homme ni leur rendre un culte[a], et ne pas manger de nourritures profanes provenant d'animaux immolés[b]. **5.** Voici qu'on ne demande plus de victimes au sang abondant ou le parfum d'un feu souillé. Tu auras honoré Dieu de toutes tes forces, si tu te consacres à Dieu avant tout, en observant deux commandements entre tous : aimer Dieu plus que toi-même, et aimer l'homme[2] comme toi-même[c], car personne ne peut, par lui-même, faire pour lui-même autant que Dieu n'en fait pour tous en général et pour chacun en particulier. **6.** D'autre part, qu'y a-t-il de plus juste que d'aimer comme toi-même celui par lequel tu désires, si on te le demande, être semblablement aimé? que d'accomplir le bien de la même façon que de le désirer? que de ne pas du tout exclure l'espérance d'une éternité bienheureuse à cause du plaisir éphémère de cette vie très brève? que de ne pas prendre en considération la vanité du présent ni détruire la foi dans les réalités futures? Et quoi de plus juste, quand il est clair qu'entre deux possibilités l'une t'est la plus avantageuse, que de placer ton espérance non directement dans le jugement de Dieu, mais dans celui de tout homme digne d'estime[3], ainsi que de mépriser le présent en choisissant les réalités à venir plutôt que d'ignorer celles qui demeureront à cause de l'usage passager des présentes?

3. A nouveau, l'auteur se situe dans la ligne de LACT., *Inst.*, VI, 3, 6-8, où le thème psalmique des deux voies s'accompagne de la précision que, pour éviter de tomber dans une situation misérable, il faut trouver un guide humain pour se diriger dans la bonne voie.

XXXVIII. Confessio credulitatis ad deum

APOLL. PHILOS. **1.** Dei unam esse et simplicem maiestatem, atque ab eo uisibilia et inuisibilia condita, omnes quidem sentiunt, sed intellegere quoque omnes possunt.
5 **2.** Plenam perinde legis ac promissorum illius fidem plenamque iustitiae, et merito diuinae possibilitati subesse resurrectionis effectum, aeternum careat, qui non credit. **3.** Quique te, Christe, dei Filium et deum manentem in homine diffitetur nec redemptorem humani generis, elato
10 in caelos crucis triumpho, et confitetur et praedicat, qui retributorem sancti laboris aut scelerum uindicem non sperat futurum, ille consortio diaboli gemens perpetuas eat exsul ad tenebras[a], et profanae noctis mersus horroribus flagrantis caeni uoluatur incendiis.
15 **4.** Absit autem nunc mihi amplius quam de deo rebusque illius sapere, et nisi ab illo edocta scire uelle uel quaerere. Tantum ne ignorantiae uel tardae credulitatis culpam poena comitetur. **5.** Maculatae idolorum concidant sedes, et exsecrandae abominationis templa
20 uacuentur, ipsaque diuinatio, quae, ut uideo, a multifariis daemonum fraudibus uel dolosa uel falsa est, sub reuerentia sanctae religionis intereat. **6.** Ego deum Christum et salutis uiam sequar, illum prae anima et cunctis uisceribus diligens, in me hoc tantum amaturus, quod ille

XXXVIII, 2 dei unam : diuinam *β* || et *om.* C || 3 eo : ea B || 4 sed – possunt : sed non intel- quoque omnes possunt P[sec.m.] sed intel- quoque non possunt CM *a*[1] et intel- omnes [omnes B[sec.m.] : *om.* B[pr.m.]V] possunt *β* *a*[2]*gm* *mo* || 6 possibilitatis *κ* || 7 effectum aeterno LT effectu aeterno *κ* *a*[1-2]*gm* || 9 redemptionem *β* || elato : electo *κ* euecto *a*[1-2]*gm* tuo L to T || 10 caelo *κ* || 11 iudicem V || 12 consortia *β* *mo* || 13 profundae LT *κ* *a*[1-2]*gm* || 13-14 erroribus CM || 17 ne *om.* *κ* || uel : et B T * L ac CM || tardae : arde T *arduae L || 18 poena : indulgentia diuina *κ* || maculatae : pollutae BV *κ* || 20 ipsaque : ipsa B LT || a : *om.* B L *κ* || multifariis : diuersis [*sup. l.* T] ac [*om.* T] multifariis LT || 21 dolosa : + est V || 23-24 uisceribus : affectibus *κ*

XXXVIII. Confession de croyance à Dieu

APOLLONIUS. **1.** Que la majesté de Dieu est une et simple, et que c'est par lui que les choses visibles et les invisibles ont été établies, tous, certes, le sentent, mais tous peuvent aussi le comprendre. **2.** Celui qui ne croit pas que notre foi est, de même, empreinte de sa loi et de ses promesses et empreinte de justice, et que c'est naturellement de la puissance divine que dépend la réalisation de notre résurrection, qu'il soit pour toujours privé de cette dernière. **3.** Et celui qui nie, ô Christ, que tu es Fils de Dieu et Dieu demeurant dans ton humanité, et ne confesse pas et ne proclame pas que tu es le Rédempteur du genre humain après l'élévation aux cieux du triomphe de ta croix, qui n'espère pas en toi comme en celui qui rémunérera toute œuvre sainte et qui châtiera les crimes, celui-là, qu'il aille, gémissant en compagnie du diable, exilé, vers les ténèbres éternelles[a], et que, plongé dans les horreurs d'une nuit impie, il se débatte dans les feux d'une fange brûlante.

4. Mais maintenant, qu'il ne soit pas question pour moi d'avoir plus de connaissances que celles qui concernent Dieu et les réalités divines et de savoir, vouloir ou rechercher ce qu'il n'a pas lui-même enseigné. Seulement, qu'aucun châtiment ne poursuive ma faute d'ignorance ou de croyance tardive. **5.** Que s'effondrent les demeures souillées des idoles, et que se vident les temples de l'abomination maudite, que l'art divinatoire lui-même, qui, comme je le vois, est trompeur ou faux du fait des multiples ruses des démons, disparaisse sous l'effet du respect dû à la sainte religion. **6.** Moi, je suivrai le Christ, Dieu et voie du salut, en l'aimant plus que mon âme et plus que toutes mes entrailles, afin de m'attacher en moi-même

XXXVIII. a. *Cf.* Matth. 25,30

25 dilexerit. **7.** Tu autem, qui diuini in me muneris minister fuisti, ab auctore gratiam recepturus trade, quaeso, plenitudinem fidei, trade interioris sacramenta mysterii, et caducam materiem celsioris spei nouatione perfunde. **8.** Si quidem creditis, qui nostris tractatibus adfuistis, ita animum 30 uerae lucis gaudia perfuderunt, ut deum Christum eiusque pietatem, licet diu ignorasse paeniteat, uel sero agnitum credidisse, aeternae tamen beatitudinis sperem esse.

25 aminister M^{ac} || 28 innouatione P $a^{1\text{-}2}gm$ || 29 quidem : quid enim κ $a^{1\text{-}2}gm$ || 30 perfuderunt : repleuerunt β $a^{1}mo$ || 31 agnitam B$^{ac}a^{1}$ || 31-32 uel sero agnitum credidisse *transp. post* esse *codd. edd.* || 32 beatitudini L || sperem : spero me V || esse : *om.* κ + explicit liber primus altercationis iacchei christiani et apollonii philosophi B + finit liber altercationis zachei [zacchei T] christiani et apollonii philosophi LT + explicit liber altercationis apollonii philosophi et zachei christiani P

seulement à ce que lui y aura aimé. **7.** Quant à toi, qui fus pour moi ministre du don de Dieu, transmets-moi, je t'en prie, pour que tu reçoives la reconnaissance du créateur, la plénitude de la foi, transmets-moi les sacrements du mystère qui m'est caché[1] et mets en mon être périssable le renouveau d'une espérance plus élevée. **8.** Si, du moins, vous croyez, vous qui avez assisté à nos discussions, alors les joies de la vraie lumière ont inondé mon âme au point que, malgré mon repentir d'avoir longtemps ignoré le Christ-Dieu et sa bonté et d'avoir cru tardivement en lui après l'avoir connu, j'espère avoir pourtant part à la béatitude éternelle.

1. En apposition à *plenitudo fidei*, *sacramenta mysterii* signifie ici le symbole trinitaire de la foi, dont les paroles ne peuvent pas être exposées aux païens.

TABLE DES MATIÈRES

TOME I (LIVRE I)

N.B. – Dans le texte original des *Questions d'un païen...*, il n'y a pas de regroupement des sommaires de chapitres.

SOURCES CHRÉTIENNES

Dans la liste qui suit, dite «liste alphabétique», tous les ouvrages sont rangés par nom d'auteur ancien, les numéros précisant pour chacun l'ordre de parution depuis le début de la collection. Pour une information plus complète, on peut se procurer deux autres listes au secrétariat de «Sources Chrétiennes» – 29, rue du Plat, 69002 Lyon (France) – Tél. : 78 37 27 08 :

1. la «liste numérique», qui présente les volumes et leurs auteurs actuels d'après les dates de publication; elle indique les réimpressions et les ouvrages momentanément épuisés ou dont la réédition est préparée.
2. la «liste thématique», qui présente les volumes d'après les centres d'intérêt et les genres littéraires : exégèse, dogme, histoire, correspondance, apologétique, etc.

LISTE ALPHABÉTIQUE (1-402)

THÉOPHILE D'ANTIOCHE
Trois livres à Autolycus : *20*
VIE D'OLYMPIAS : *13 bis*
VIE DE SAINTE MÉLANIE : *90*
VIE DES PÈRES DU JURA : *142*

SOUS PRESSE

APPONIUS, **Commentaire sur le Cantique.** Tome I. L. Neyrand, B. de Vregille.

GRÉGOIRE DE NAZIANZE, **Discours 6-12.** M.-A. Calvet.

GRÉGOIRE DE NYSSE, **Homélies sur l'Ecclésiaste.** F. Vinel.

HONORAT DE MARSEILLE, **Vie d'Hilaire d'Arles.** P.-A. Jacob.

HUGUES DE BALMA, **Théologie mystique.** Tome I. J. Barbet, F. Ruello.

IRÉNÉE DE LYON, **Démonstration de la Prédication apostolique.** A. Rousseau.

JONAS D'ORLÉANS, **De la royauté.** A. Dubreucq.

NIL D'ANCYRE, **Commentaire sur le Cantique.** Tome I. M.-G. Guérard.

PROCHAINES PUBLICATIONS

Les Apophtegmes des Pères. Tome II. J.-C. Guy (†).

EUDOCIE, **Centons homériques.** A.-L. Rey

ISIDORE DE PÉLUSE, **Lettres.** Tome I. P. Évieux.

Livre d'heures ancien du Sinaï. M. Ajjoub.

MARC LE MOINE, **Traités.** Tome I. G.-M. de Durand.

OPTAT DE MILÈVE, **Traité contre les donatistes.** M. Labrousse.

ORIGÈNE, **Sur les Psaumes.** L. Brésard, H. Crouzel.

PACIEN DE BARCELONE, **Traités et Lettres.** C. Épitalon, C. Granado.

Passion de Perpétue. J. Amat.

Également aux Éditions du Cerf :

LES ŒUVRES DE PHILON D'ALEXANDRIE
publiées sous la direction de
R. ARNALDEZ, C. MONDÉSERT, J. POUILLOUX.
Texte original et traduction française.

1. **Introduction générale, De opificio mundi.** R. Arnaldez.
2. **Legum allegoriae.** C. Mondésert.
3. **De cherubim.** J. Gorez.
4. **De sacrificiis Abelis et Caini.** A. Méasson.
5. **Quod deterius potiori insidiari soleat.** I. Feuer.
6. **De posteritate Caini.** R. Arnaldez.

7-8. **De gigantibus. Quod Deus sit immutabilis.** A. Mosès.

9. **De agricultura.** J. Pouilloux.
10. **De plantatione.** J. Pouilloux.

11-12. **De ebrietate. De sobrietate.** J. Gorez.

13. **De confusione linguarum.** J.-G. Kahn.
14. **De migratione Abrahami.** J. Cazeaux.
15. **Quis rerum divinarum heres sit.** M. Harl.
16. **De congressu eruditionis gratia.** M. Alexandre.
17. **De fuga et inventione.** E. Starobinski-Safran.
18. **De mutatione nominum.** R. Arnaldez.
19. **De somniis.** P. Savinel.
20. **De Abrahamo.** J. Gorez.
21. **De Iosepho.** J. Laporte.
22. **De vita Mosis.** R. Arnaldez, C. Mondésert, J. Pouilloux, P. Savinel.
23. **De Decalogo.** V. Nikiprowetzky.
24. **De specialibus legibus.** Livres I-II. S. Daniel.
25. **De specialibus legibus.** Livres III-IV. A. Mosès.
26. **De virtutibus.** R. Arnaldez, A.-M. Vérilhac, M.-R. Servel, P. Delobre.
27. **De praemiis et poenis. De exsecrationibus.** A. Beckaert.
28. **Quod omnis probus liber sit.** M. Petit.
29. **De vita contemplativa.** F. Daumas et P. Miquel.
30. **De aeternitate mundi.** R. Arnaldez et J. Pouilloux.
31. **In Flaccum.** A. Pelletier.
32. **Legatio ad Caium.** A. Pelletier.
33. **Quaestiones in Genesim et in Exodum. Fragmenta graeca.** F. Petit.

34 A. **Quaestiones in Genesim,** I-II (e vers. armen.). C. Mercier.
34 B. **Quaestiones in Genesim,** III-IV (e vers. armen.) Ch. Mercier et F. Petit.
34 C. **Quaestiones in Exodum,** I-II (e vers. armen.) A. Terian.

35. **De Providentia,** I-II. M. Hadas-Lebel.
36. **Alexander (De animalibus)** (e vers. armen.) A. Terian et J. Laporte.

Photocomposition laser
Abbaye de Melleray
44520 La Meilleraye-de-Bretagne

Achevé d'imprimer par
Corlet, Imprimeur, S.A.
14110 Condé-sur-Noireau
N° d'Éditeur : 9965
N° d'Imprimeur : 6498
Dépôt légal : octobre 1994
Imprimé en C.E.E.